역주본

일분몽구

一分蒙求

역주본

일분몽구

一分蒙求

해공 신익희 찬서

임동석 역주

일조각

머리말

"가련다 떠나련다, 해공 선생 뒤를 따라. 장면 박사 홀로 두고, 조병옥도 떠나갔네. 가도 가도 끝이 없는 당선길은 몇 구비냐? 자유당에 꽃이 피고 민주당에 비가 오네. 세상을 원망하랴? 자유당을 원망하랴? 춘삼월 15일에 조기선거 웬 말이냐?"

어린 시절 국민(초등)학교 4학년 때쯤 내가 자랐던 산골 화전민 마을까지 이런 개사곡이 들어와 뭔지도 모르면서 따라 불렀던 기억이 지금도 생생하다. 그리고 그때는 어린 나이에 해공이 누군지도 몰랐고, "못살겠다, 갈아보자"라는 선거 구호가 무슨 말인지도 모르는 나이였다. 그런데 그 노래는 지금도 입에 붙어 있는 것을 보면 참 희한하다는 생각이 든다.

그동안 많은 고전을 역주하면서 당연히 몽학서(蒙學書), 즉 어린이를 위한 고전도 꽤나 섭렵하였다. 《천자문》, 《소학》, 《삼자경》, 《천가시》, 《유학경림》, 《백가성》, 《몽구》, 《동몽수지》 등 이루 헤아릴 수 없다. 이들은 과거부터 지금까지도 중국에서 잊히지 않고 널리 애용되는 교재들이다. 우리나라도 이에 못지않게 《계몽편》, 《동몽선습》, 《해동속소학》은 물론 《역대천자문》, 《몽학사요》도 있었으며,

나아가 자학서(字學書)로도 중국의 《천자문》을 주석하고 훈과 음을 달아 전국 방방곡곡, 가가호호에서 "하늘천 따지 검을현 누루황"을 외우고 익히는 소리가 낭랑했으며, 이를 넘어 《훈몽자회》, 《유합》 등을 편찬하여 일찍부터 어린이 교육의 중요함을 절실히 여겨 직접 구현하고 있었다.

그런데 해공이 직접 쓴 《일분몽구》라는 책이 백여 년 만에 발견되어 〈해공신익희선생기념사업회〉에서 복제본을 만들게 되었으며, 금년 늦가을 어떻게 연이 되어 나도 한 권 받아 볼 수 있었다.

내 스스로 이미 꽤 오래전 중국의 《몽구》를 완역한 적이 있어 기대를 갖고 받아 펼쳐보고는 깜짝 놀라지 않을 수 없었다.

이름만으로 곧 중국 《몽구》와 연관이 있을 것이라는 생각은 빗나갔다.

《몽구》와는 형식이나 내용도 다를뿐더러 오히려 《천자문》에 가까운 체재에 글자의 나열이 아니라 4구씩의 문장으로 되어 있는 것이었다. 그리고 해공이 약관이 갓 넘은 23세에 종손(從孫) 창현(昌鉉)의 첫돌 잔칫상에 올려놓기 위해 쓴 것이며 1,440자를 중복이 되지 않도록 하면서 문장으로 이루었다는 것에 대해 놀랐고, 그 내용이 그저 피상적이거나 천근한 것이 아닌 데 다시 놀랐으며, 글씨가 너무나 단아하고 명필인 데 또 놀랐다. 옛말에 "소년 문장은 있어도, 소년 명필은 없다" 하였는데, 해공이 그 젊은 나이에 그 어려운 '축약의 미'를 살

린 내용에다가 '단정하고 힘찬 해서 정자체'를 이토록 정갈하게 써서 남겼다는 것에는 옷깃이 여며질 정도였다.

더구나 서문은 초서체였는데, 그렇다면 해서(楷書)는 모든 서체를 모두 통달한 것일 터이니, 아무리 열심히 한문을 공부하고 글씨까지 익혔다 해도 그 나이에 그러한 경지에 오를 수 있을까 하는 의문까지 들었다.

기념사업회에서 상의할 일이 있다며 직접 만나기를 청하여 약속한 장소로 나갔더니 나에게 내친김에 이 책을 주석하고 해석해서 책으로 냈으면 한다고 조심스럽게 부탁을 하는 것이었다. 나는 선뜻 응할 수가 없었다. 내 자신 천학미재(淺學微才)할뿐더러 감히 대인의 작품에 선불리 손을 댄다는 것이 두려웠기 때문이었다. 게다가 아무리 몽학서라 해도 나로서는 오류나 미진함의 잘못을 저지르지 않을 자신이 없었기 때문이었다.

그래서 우선 축자축구(逐字逐句)식으로 훑어보았다. 과연 내용은 의외로 방대하였고, 중국의 경사자집 및 우리의 역사나 학문까지 다 찾아보지 않고는 쉽지 않다는 것과, 자칫 원전이나 원 출전을 설명하지 않으면 문장의 이해가 쉽지 않고, 그렇다고 너무 자세하게 주석을 가(加)했다가는 몽학서 본연의 면목에서 너무 멀어질 수밖에 없으리라는 우려가 엄습하였다.

그래도 이처럼 훌륭한 교재가 그대로 묻히게 두기에는 안타까움이 앞섰다. 더구나 국민대학이 해공이 창건한 교육기관이요, 오늘날 그토록 훌륭한 대학으로 성장해온 만큼 이 나라 교육의 발전 과정에도 중요한 자료라 여겨 포호빙하(暴虎馮河)의 무모함으로 덤벼보았다.

그 때문에 역주에 혹 누소(漏疎)함과 오류가 있을 수 있으니 읽는 자의 지적과 질정을 기다린다. 아울러 이 책이 나오도록 온 힘을 쏟아 후원과 격려를 아끼지 않으신 기념사업회 회장 현승일(玄勝一) 전 국민대 총장께 감사를 드리며, 이종은(李鍾殷) 교수와 이창수(李昌洙) 이사께도 겸하여 고마움을 표한다.

신축년(辛丑年, 2021) 동지(冬至)에
줄포(茁浦) 임동석(林東錫)이
삼가 서(序)하다

일러두기

1. 이 책은 해공 신익희의《일분몽구 (일천사백사십자)》를 완역한 것이다.
2. 전체 1,440자를 4자 2구씩 묶어 모두 180개의 문장으로 하고 일련번호를 부여하여 정리하였다.
3. 원문의 매 글자는 아래에 한글 음을 달아 쉽게 읽을 수 있도록 하였다.
4. 매 글자는 훈과 음, 그리고 부수 및 총획수를 밝혀 학습에 도움이 되도록 하였다.
5. 多音의 한자는 그 문장에 맞는 것으로 표시하였고, 그 외 통용되는 음이나 두음법칙은 적용하지 않았다.
6. 한자 원문은 가능한 한 원래의 글자를 최대한 살렸으며, 통용자로 바꾸거나 자형의 변화가 없도록 하였다.
7. 해석은 직역을 위주로 하였으나, 워낙 축약된 4자 구성의 문장, 혹은 문자의 나열이므로 그 뜻이나 상황에 맞게 풀어쓴 것도 있다.
8. 주석(각주)은 원전이나 출처, 어휘의 뜻, 혹 낱자의 뜻과 상이한 음 및 이체자 등의 정보를 담아 참고가 되도록 하였다.
9. 이 책의 번역과 주석에 참고한 자료는 대강 아래와 같다.

※ 참고문헌

《蒙求》, 《千字文》, 《小學》, 《三字經》, 《千家詩》, 《四書》, 《詩經》, 《尙書》, 《周易》, 《左傳》, 《禮記》, 《大戴禮記》, 《春秋繁露》, 《史記》, 《漢書》, 《後漢書》, 《三國志》, 《資治通鑑》, 《通鑑節要》, 《十八史略》, 《帝王世紀》, 《世本》, 《逸周書》, 《竹書紀年》, 《山海經》, 《老子》, 《莊子》, 《韓非子》, 《淮南子》, 《戰國策》, 《說苑》, 《列女傳》, 《孔子家語》, 《韓詩外傳》, 《論衡》, 《博物志》, 《顔氏家訓》, 《幼學瓊林》, 《百家姓》, 《明心寶鑑》, 《賢文》, 《三國史記》, 《三國遺事》, 《栗谷集》. 《歷代千字文》, 《蒙學史要》, 《二十五史述要》, 《十三經注疏》 등.

차 례

一分蒙求
일분몽구

一千四百四十字
일천사백사십자

一分業求亡爲訓業而後世書業
求之位而由年矣於之以一分無不
以義之一分助業業求云當之直
豈自首道也之字數恰爲一字四而
罕分知存清生不必求知也志而情
又何益也

丁巳四月 安策書

一分蒙求者, 今爲訓蒙而作本也.
일 분 몽 구 자 금 위 훈 몽 이 작 본 야

蒙求之后, 有年成實加之以一分,
몽 구 지 후 유 년 성 실 가 지 이 일 분

本有以或有一分助.
본 유 이 혹 유 일 분 조

書蒙求云, 番而直是自道也.
서 몽 구 운 번 이 직 시 자 도 야

其字數恰与一日一千四百四十分相符,
기 자 수 흡 여 일 일 일 천 사 백 사 십 분 상 부

讀本而不可不知此意, 而惜取分陰也.
독 본 이 불 가 부 지 차 의 이 석 취 분 음 야

丁巳至月海侯書.
정 사 지 월 해 후 서

《일분몽구》는 지금 어린아이를 가르치기 위해 지은 교재이다.

배움을 요구하는 시기를 지나 나이가 들어 가면서 실질을 이루게 될 때 여기에 일분을 더하고자 함이다. 교본은 혹 이로써 일분이라도 도움이 될 것이다.

책 이름을 '몽구'라 이른 것은 번갈아 가며 이를 익혀 곧바로 이로써 스스로의 도를 이루도록 하기 위함이다.

그 숫자는 마침 하루 1,440분과 서로 부합하니, 이 교재를 공부하면서 이 뜻을 알지 않으면 안 되도록 하여, 분음을 아껴 취하도록 한 것이다.

정사(1917) 동짓달, 해후(해공, 신익희) 씀.

* **蒙求**: 《周易》 蒙卦의 "蒙, 亨. 匪我求童蒙, 童蒙求我"(내가 동몽에게 요구하는 것이 아니라, 어린아이가 나에게 배움거리를 달라고 요구하다)라 하여 어린아이들에게 가르침을 베풀어야 함을 뜻함.
* **恰**: '마침, 흡사, 공교롭게도'의 뜻.
* **与**: '與'의 간체자.
* **一分**: '조금이라도'를 뜻하는 부사로 쓰였음.
* **分陰**: 寸陰과 같음. 아주 짧은 시간. 매우 아끼고 소중히 여겨야 할 시간을 뜻함.
* **丁巳**: 1917년.
* **至月**: 동짓달을 뜻함. 음력이므로 양력으로 12월에 해당함.
* **海侯**: 신익희의 호. 신익희(申翼熙, 1894~1956)는 海公, 海侯 두 가지 호를 썼음.

文孝家庭

문 효 가 정

文과 孝로 가정을 이루다.

001

天地初開 陰陽乃判
천 지 초 개 음 양 내 판

天(하늘 천: 大-4)
地(땅 지: 土-6)
初(처음 초: 刀-7)
開(열 개: 門-12)
陰(응달, 그늘 음: 阜-11)
陽(볕 양: 阜-12)
乃(이에 내: ノ-2)
判(판가름할 판: 刀-7)

하늘과 땅이 처음 열리니, 이에 음양이 나뉘어졌다.

* **天地**: 《千字文》에 "天地玄黃, 宇宙洪荒"이라 하였고, 《歷代千字文》에는 "太極肇剖判, 天地造化弘"이라 하였으며, 《蒙學史要》에는 "太極剖判, 鴻濛開闢: 天尊地卑, 父生母育"이라 하여, 蒙學 교재는 대체로 '天地'부터 시작함.
* **判**: 갈라짐. 태초에 천지는 混沌(Chaos) 상태로 분화되지 않은 상태였다가 하늘과 땅으로 갈라져 분화되기 시작하였다고 여겼음.

002

上清垂象 包外圓旋
상 청 수 상 포 외 원 선

上(위 상: 一-3)
清(맑을 청: 水-11)
垂(드리울 수: 土-8)
象(코끼리, 물상 상: 豕-12)
包(쌀 포: 勹-5)
外(밖 외: 夕-5)
圓(둥글 원: 囗-13)
旋(돌 선: 方-11)

위의 맑은 것이 형상을 내려뜨려 주고, 밖을 둘러싸고 있는 것은 둥글게 빙글빙글 돌고 있고,

* **垂象**: 형상을 내려뜨려 구체적인 물건이 형성됨.
* **圓旋**: '天圓地方'의 모습이며 하늘 위의 일월과 별들은 돌고 있음. '旋'은 '轉'과 같음.

003

下濁成質　居內丸積

하 탁 성 질　　거 내 환 적

下(아래 하: 一-3)　　居(살 거: 尸-8)
濁(흐릴 탁: 水-16)　　內(안 내: 入-4)
成(이룰 성: 戈-7)　　丸(알 환: 丶-3)
質(바탕 질: 貝-15)　　積(쌓을 적: 禾-16)

아래의 탁한 것은 물질을 이루고 있으며, 그 안에 자리를 차지하고 있는 것은 알맹이로 되어 쌓여 있다.

* **下濁**: 002의 '上淸'에 상대한 것으로 '上下', '淸濁'의 개념을 제시함. '淸'은 형이상학적인 것, '濁'은 형이하학적인 구체적인 물체.
* **丸積**: '丸'은 둥근 알맹이. 물질의 알맹이(元素)가 쌓여서 물체를 이룸.

004

日月星辰 水火土石
일 월 성 신 수 화 토 석

日(해 일: 日-4)
月(달 월: 月-4)
星(별 성: 日-9)
辰(날 신, 지지 진: 辰-7)
水(물 수: 水-4)
火(불 화: 火-4)
土(흙 토: 土-3)
石(돌 석: 石-5)

이상 모든 것은 바로 해와 달, 별들, 그리고 물과 불, 흙과 돌이다.

* **辰**: '신'으로 읽음. '진'으로 읽을 경우 地支(용을 상징, 용띠)의 하나. 《爾雅》(釋天)에 "北極謂之北辰"이라 함.

005

形器旣具　理宰氣行
형 기 기 구　리 재 기 행

形(모양 형: 彡-7)
器(그릇 기: 口-16)
旣(이미 기: 无-11)
具(갖출 구: 八-8)
理(다스릴 리: 玉-11)
宰(재상 재: 宀-10)
氣(기운 기: 气-10)
行(갈 행, 줄 항: 行-6)

형체를 가진 기물들이 이윽고 갖추어져, 원리가 주재하고 기운이 운행하고 있으니,

* **理宰氣行**: '理'는 형이상학적인 원리. '氣'는 만물이 작동하는 에너지. '行'은 항오(行伍), 항렬(行列) 등의 '줄'을 의미할 경우 '항'으로 읽음.

006

剛柔健順 元亨利貞
강 유 건 순 원 형 리 정

剛(굳셀 강: 刀-10)
柔(부드러울 유: 木-9)
健(튼튼할 건: 人-11)
順(순할 순: 頁-12)
元(으뜸 원: 儿-4)
亨(형통할 형: 亠-7)
利(이로울, 날카로울 리: 刀-7)
貞(곧을 정: 貝-9)

바로 굳센 것과 부드러운 것, 굳건한 것과 순한 것으로, 이것이 원형이정(元亨利貞)이다.

* **剛柔健順**: 이는《周易》에서 '天'(剛, 健), '地'(柔, 順)의 의미를 나누어서 상징적으로 말한 것임.
* **元亨利貞**:《周易》에 "乾, 元亨利貞"이라 하였는데, 여기서 4글자는 〈文言傳〉에 구체적으로 "元者, 善之長也: 亨者, 嘉之會也: 利者, 義之和也: 貞者, 事之幹也. … 君子行此四德者, 故曰元亨利貞"이라 하여 '四德'이라 명명하였음.

007

一源太極　渾眞寂玄
일 원 태 극　혼 진 적 현

一(한 일: 一-1)　源(근원 원: 水-13)　太(클 태: 大-4)　極(다할 극: 木-13)

渾(흐릴 혼: 水-12)　眞(참 진: 目-10)　寂(고요할 적: 宀-11)　玄(검을 현: 玄-5)

하나의 근원은 태극이니, 혼돈의 진리는 적막하고 현묘하지만,

* **太極**: 우주 만물의 근원. 宋 周敦頤의 〈太極圖說〉에 "無極而太極, 太極動而生陽, 動極而靜, 靜而生陰, 靜極復動. 一動一靜, 互爲其根: 分陰分陽, 兩儀立焉"이라 함. 《帝王世紀》(집일본)에는 "天地未分, 謂之太易: 元氣始萌, 謂之太初: 形變有質, 謂之太素: 太素之前, 幽淸寂寞. 天成於外而體陽, 故圓以動. 質形已具, 謂之太極"이라 함.
* **渾眞**: 渾沌(混沌) 상태의 진리.
* **寂玄**: 우주의 원리가 아주 아득하면서도 현묘함.

008

自能動靜 乘機屈伸
자 능 동 정 승 기 굴 신

自(스스로 자: 自-6)
能(능할 능: 肉-10)
動(움직일 동: 力-11)
靜(고요할 정: 靑-16)

乘(탈 승: 丿-10)
機(틀 기: 木-16)
屈(굽힐 굴: 尸-8)
伸(펼 신: 人-7)

스스로 능히 움직이기도 하고 고요하기도 하여, 그 기틀을 타고 굽히고 펴고 하는 것이다.

* **動靜**, **屈伸**: '움직임-고요함', '굽힘-폄'과 같이 서로 상대적인 의미를 가지고 있음.

009

兩儀斯立　生克維五
량 의 사 립　생 극 유 오

兩(두 량: 入-8)
儀(거동 의: 人-15)
斯(이 사: 斤-12)
立(설 립: 立-5)
生(날 생: 生-5)
克(이길 극: 儿-7)
維(바 유: 糸-14)
五(다섯 오: 二-4)

양의(兩儀)가 여기에 세워졌고, 상생(相生)과 상극(相克)으로 이루어진 것이 바로 오행(五行)이다.

* **兩儀**: 음양. 《周易》에서 태극이 분화하여 兩儀를 낳고, 양의가 다시 四象을 낳으며, 사상은 八卦를 낳고, 팔괘가 조합하여 64괘가 됨. '兩儀'는 陽爻(⚊)와 陰爻(⚋). '四象'은 태양(⚌), 소양(⚎), 태음(⚏), 소음(⚍)을 가리킴. 즉 아래와 같이 발전함.

八卦	四象	兩儀	
① 天☰ 乾	太陽	陽	太極
⑦ 澤☱ 兌	〃		
⑤ 火☲ 離	少陰		
③ 雷☳ 震	〃		
⑧ 風☴ 巽	少陽	陰	
⑥ 水☵ 坎	〃		
④ 山☶ 艮	太陰		
② 地☷ 坤	〃		

＊**生克維五**: 〈太極圖說〉에 "陽變陰合, 而生水火木金土, 五氣順布, 四時行焉. 五行一陰陽也, 陰陽一太極也: 太極, 本無極也. 五行之生也, 各一其性, 無極之眞"이라 하였으며, 이에 따라 五行이 생겨나고 五行은 相生과 相克이 있음. 즉 아래 표와 같음.

五行	五方	五色	五音	五常	五臟	五季	五事	五聲	五味	五義	五嶽	五帝	五帝	天干	地支	五神	動物	五數	五臭	五祀	五穀	五牲	五木	四靈	五民
木	東	靑	角	仁	肝	春	貌	牙	甘	謙	泰山	太皞	帝嚳	甲乙	寅卯辰	句芒	鱗	八	羶	戶奧	麥	禽鷄	梧	靑龍	夷
火	南	赤	徵	禮	心	夏	聽	舌	鹹	敢	衡山	炎帝	顓頊	丙丁	巳午未	祝融	羽	七	焦	竈	菽	狗	柳	朱雀	蠻
土	中	黃	羽宮	信	脾	季夏	思	脣	酸	和	嵩山	黃帝	黃帝	戊己		后土	倮	五	香	中霤	稷	牛	桑		夏華
金	西	白	商	義	肺	秋	言	齒	苦	容	華山	少皞	帝堯	庚辛	申酉戌	蓐收	毛	九	腥	門	麻粱	羊	棘	白虎	戎
水	北	黑	宮羽	智	腎	冬	視	喉	辛	廉	恒山	顓頊	帝舜	壬癸	亥子丑	玄冥	介	六	朽	井	黍	彘	棗	玄武	狄

★相生: 水生木. 木生火, 火生土, 土生金, 金生水

★相剋: 水剋火, 火剋金, 金剋木, 木剋土, 土剋水

010

經緯錯綜 神妙精聚
경 위 착 종 신 묘 정 취

經(날줄 경: 糸-13) 神(귀신 신: 示-10)
緯(씨줄 위: 糸-15) 妙(묘할 묘: 女-7)
錯(섞일 착: 金-16) 精(알맹이 정: 米-14)
綜(잉아 종: 糸-14) 聚(모일 취: 耳-14)

가로세로로 얽히고설켜, 신묘함의 정수가 다 모여 있으니,

* **經緯**: 세로와 가로. 經線과 緯線. 날줄과 씨줄. 사물의 형성이나 진행의 과정을 뜻하기도 함.

* **錯綜**: 서로 얽히고설켜 배치됨.

011

覆載交感 變化遂通
부 재 교 감 변 화 수 통

覆(뒤집힐 복, 덮을 부: 襾-18) 變(변할 변: 言-23)
載(실을 재: 車-13) 化(될 화: 匕-4)
交(사귈 교: 亠-6) 遂(이를 수: 辵-13)
感(느낄 감: 心-13) 通(통할 통: 辵-11)

하늘이 덮어 주고 땅이 싣고 있으면서 서로 감응하여, 변화가 드디어 소통하게 되는 것이다.

* **覆載**: '天覆地載'의 줄인 말. 하늘은 덮어 주고 땅은 만물을 싣고 있음.《中庸》에 "辟如天地之無不持載, 無不覆幬, 辟如四時之錯行, 如日月之代明"이라 하였고, 朱熹 注에 "天覆地載, 萬物並育於其間而不相害"라 함. '覆'는 '덮다'의 경우 '부'로, '엎어지다'의 경우 '복'으로 읽음.
* **變化**: '變'은 물리적으로 변하는 것, '化'는 화학적으로 변하는 것.

012

運數有常 循環無窮
운 수 유 상 순 환 무 궁

運(움직일 운: 辵-13) 循(좇을 순: 彳-12)
數(셀 수, 자주 삭, 그물 촉: 攴-15) 環(고리 환: 玉-17)
有(있을 유: 月-6) 無(없을 무: 火-12)
常(항상 상: 巾-11) 窮(다할 궁: 穴-15)

운수(運數)는 항상 변함이 없지만, 순환하여 무궁하다.

* **運數**: 사람의 힘으로는 어쩔 수 없는 천운과 그 기수. 사람의 운수를 運命, 나라의 운수를 國運이라 함. 漢나라 荀悅의 《申鑒》에 "終始運也, 短長數也"라 하여 시작과 끝을 '運', 그 길이(短長)를 '數'라 하였음. 한편 '數'는 '자주'의 뜻일 경우 빈삭(頻數)과 같이 '삭'으로, '코가 빽빽한 그물'일 경우 촉고(數罟)처럼 '촉'으로 읽음.
* **循環**: 고리처럼 되어 있어 반복하여 돎.

013

春夏秋冬 歲時推遞
춘 하 추 동 세 시 추 체

春(봄 춘: 日-9)
夏(여름 하: 夊-10)
秋(가을 추: 禾-9)
冬(겨울 동: 冫-5)

歲(해 세: 止-13)
時(때 시: 日-10)
推(밀 추: 手-11)
遞(갈마들 체: 辵-14)

봄, 여름, 가을, 겨울은 한 해의 계절로 밀어내어 교체하며,

* **推遞**: 밀어내어 교체시킴. 四時가 순서대로 운행됨을 뜻함. '推'는 다음 계절이 앞 계절을 밀어냄. '遞'는 뒤의 계절에 넘겨줌.

014

東西南北 方位向背
동 서 남 북 방 위 향 배

東(동녘 동: 木-8) **方**(모 방: 方-4)
西(서녘 서: 襾-6) **位**(자리 위: 人-7)
南(남녘 남: 十-9) **向**(향할 향: 口-6)
北(북녘 북: 匕-5) **背**(등 배: 肉-9)

동서남북의 방위는 각기 서로 반대쪽을 향하고 있다.

* **東西南北**: 동양은 東西를 기준으로 방위를 칭하고, 서양은 南北을 기준으로 부름. 한편 '北'은 '敗北하다'의 경우 '배'로 읽음.
* **向背**: 방향이 서로 등지고 있음.

015

晝夜晨夕 長短昏明

주 야 신 석 장 단 혼 명

晝(낮 주: 日-11)
夜(밤 야: 夕-8)
晨(새벽 신: 日-11)
夕(저녁 석: 夕-3)
長(길 장: 長-8)
短(짧을 단: 矢-12)
昏(어두울 혼: 日-8)
明(밝을 명: 日-8)

낮과 밤, 새벽과 저녁은 낮의 길이에 따라 어둡기도 하고 밝기도 하며,

* **晝夜晨夕**: '晝夜', '晨夕'은 서로 상대적인 의미. '長短', '昏明'도 같음.

016

晦朔旬望 進退虧盈
회 삭 순 망 진 퇴 휴 영

晦(그믐 회: 日-11)
朔(초하루 삭: 月-10)
旬(열흘 순: 日-6)
望(바랄, 부름 망: 月-11)
進(나아갈 진: 辵-12)
退(물러날 퇴: 辵-10)
虧(이지러질 휴: 虍-17)
盈(찰 영: 皿-9)

그믐과 초하루, 열흘과 보름이 있으며, 나아가고 물러서고, 이지러졌다 가득 찼다 하기도 한다.

* **晦朔旬望**: 날짜를 표현하는 말.
* **進退虧盈**: '進退'와 '虧盈'은 각기 상대적인 표현. '虧盈'은《千字文》에는 "日月盈昃"이라 하여 '盈昃'으로 표현하였음. 달이 기울고 차는 모습을 가리킴.

017

風鼓雷震 雲興雨施
풍 고 뢰 진 운 흥 우 시

風(바람 풍: 風-9)
鼓(북 고: 鼓-13)
雷(우레 뢰: 雨-13)
震(벼락 진: 雨-15)
雲(구름 운: 雨-12)
興(일 흥: 臼-16)
雨(비 우: 雨-8)
施(베풀 시: 方-9)

바람이 불어 고동치고 우레와 벼락이 치기도 하며, 구름이 일어나 비를 내리기도 한다.

* **鼓**: '울리다, 고동치다'의 뜻. 바람이 소리를 냄. 여기서는 동사로 쓰였음. 이 '鼓' 자는 중복되었음. 112에는 "干戈旗鼓"라 하여 '북'이 명사로 쓰였음.

018

露滋霜肅 雪封冰閉
로 자 상 숙 설 봉 빙 폐

露(이슬, 드러날 로: 雨-20)
滋(불을 자: 水-12)
霜(서리 상: 雨-17)
肅(엄숙할 숙: 聿-12)
雪(눈 설: 雨-11)
封(봉할 봉: 寸-9)
冰(얼음 빙: 冫-6)
閉(닫을 폐: 門-11)

봄 이슬은 식물을 자라게 해 주지만 가을 서리는 숙살시키고, 눈은 길을 봉쇄하고 얼음은 만물을 닫아 버린다.

* **露滋霜肅**: '露滋'의 '露'는 봄에 만물을 길러 주는 이슬. '露'가 동사일 경우 '露出', '露宿', '露積'처럼 '드러나다'의 뜻임. '霜肅'은 가을 서리가 모든 식물의 성장을 멈추거나 肅殺시켜 한 해의 생명을 마치게 함.
* **雪封冰閉**: 눈이 오면 封鎖되고 얼음이 얼면 閉塞됨. '冰'과 '氷'은 이체자.

019

寒暑溫凉 燥濕融凝
한 서 온 량 조 습 융 응

寒(찰 한: 宀-12)
暑(더울 서: 日-13)
溫(따뜻할 온: 水-13)
凉(서늘할 량: 冫-10)
燥(마를 조: 火-17)
濕(젖을 습: 水-17)
融(화할 융: 虫-16)
凝(엉길 응: 冫-16)

기후는 추위와 더위, 따뜻함과 서늘함, 건조함과 습함, 녹음과 응결함이 있고,

* **溫凉**: '凉'은 '涼'과 같음.
* **融凝**: '融'은 봄에 얼음을 녹임. '凝'은 겨울에 물을 凝結시킴.

020

泉澗溪澤 巖壑原陵
천 간 계 택 암 학 원 릉

泉(샘 천: 水-9)
澗(계곡물 간: 水-15)
溪(시내 계: 水-13)
澤(못 택: 水-16)
巖(바위 암: 山-23)
壑(골, 구렁 학: 土-17)
原(언덕 원: 厂-10)
陵(언덕, 무덤 릉: 阜-11)

지형은 샘물과 석간수, 계곡과 못, 그리고 바위와 골짜기, 들판과 언덕이 있다.

* **泉澗**: '澗'은 돌 틈이나 바위 사이를 흐르는 물. 계곡의 물.
* **巖壑原陵**: '巖'과 '岩'은 이체자. '壑'은 골짜기, 구렁. '原'은 原野. '陵'은 丘陵, 언덕.

021

峯高川流　山鎭海涵
봉 고 천 류　　산 진 해 함

峯(봉우리 봉: 山-10)
高(높을 고: 高-10)
川(내 천: 巛-3)
流(흐를 류: 水-9)
山(뫼 산: 山-3)
鎭(누를 진: 金-18)
海(바다 해: 水-10)
涵(젖을, 큰물 함: 水-11)

봉우리는 높고 냇물은 흐르며, 산은 진중하게 자리를 잡고 있고 바다는 많은 물을 받아들이고 있다.

* **峯**: '峰'의 이체자.
* **山鎭**: 산은 진중하게 자리를 잡고 있음. '山不易方'의 뜻.
* **海涵**: 바다는 많은 물줄기를 받아들임. '海納百川'의 뜻. 혹은 많은 물을 담고 있음.

022

界區廣遠 墳壤厚深
계 구 광 원 분 양 후 심

界(경계 계: 田-9)
區(지경 구: 匸-11)
廣(넓을 광: 广-15)
遠(멀 원: 辵-14)
墳(무덤 분: 土-15)
壤(흙덩이 양: 土-20)
厚(두터울 후: 厂-9)
深(깊을 심: 水-11)

경계와 구역은 넓고 멀며, 언덕과 흙덩이는 두텁고 깊다.

* **墳壤**: '墳'은 무덤의 뜻이나, 여기서는 언덕, 제방, 흙두덩의 뜻. '壤'은 흙덩이.

023

于以造物 萬品育焉
우 이 조 물 만 품 육 언

于(어조사 우: 二-3)
以(써 이: 人-5)
造(지을 조: 辵-11)
物(만물 물: 牛-8)
萬(일만 만: 艸-13)
品(물건 품: 口-9)
育(기를 육: 肉-8)
焉(어찌, 어조사 언: 火-11)

이에 조물주에 의해 온갖 품류들이 여기에서 길러지고 있는 것이다.

* **于以**: 두 글자 모두 어조사.
* **育焉**: 여기에서 길러짐. '焉'은 처소, 시간 등을 포함한 종결사.

024

蕃殖林總 賦予洪勻
번 식 림 총 부 여 홍 균

蕃(우거질 번: 艸-16)
殖(번식할 식: 歹-12)
林(수풀 림: 木-8)
總(묶을 총: 糸-17)
賦(구실 부: 貝-14)
予(나, 줄 여: 亅-4)
洪(큰물 홍: 水-9)
勻(적을, 고를 균: 勹-4)

번성하고 생육하여 수풀로 빽빽하게 자라고 있으니, 이는 홍균의 대도를 부여해 주었기 때문이다.

* **蕃殖**: 繁殖, 繁植과 같음. 번성하여 자꾸 늘어남.
* **賦予**: '予'는 與와 같으며, 인칭대명사일 경우 나(余, 我, 吾)의 뜻.
* **洪勻**: '洪鈞'과 같음. 天道를 뜻함. 만물이 각기 그 본성과 본능대로 생장사멸하면서 이어가도록 되어 있는 원리. '有物有則'의 大道. 《文選》張華의 〈答何劭〉 시(2)에 "洪鈞陶萬類, 大塊稟群生"이라 하였고, 李善 注에 "洪鈞, 大鈞, 謂天也: 大塊, 謂地也. 言天地陶化萬類, 而羣化稟受其形也"라 함.

025

凡係血屬 貌像聲色
범 계 혈 속 　 모 상 성 색

凡(무릇 범: 几-3)
係(걸릴 계: 人-9)
血(피 혈: 血-6)
屬(엮을 속, 이을 촉: 尸-21)
貌(모습 모: 豸-14)
像(형상 상: 人-14)
聲(소리 성: 耳-17)
色(빛 색: 色-6)

무릇 생태계는 혈통으로 속하게 되는 것이니, 모습과 형상, 소리와 색깔이다.

* **聲色**: 목소리와 피부색.

026

蠢謂之蟲 根著曰植
준 위 지 충 근 착 왈 식

蠢(꿈틀거릴 준: 虫-21)
謂(이를 위: 言-16)
之(갈 지: 丿-4)
蟲(벌레 충: 虫-18)
根(뿌리 근: 木-10)
著(드러날 저, 붙을 착: 艸-13)
曰(가로 왈: 曰-4)
植(심을 식: 木-12)

꿈틀거리는 것을 일러 충(蟲)이라 하고, 뿌리가 땅속에 붙어 있는 것을 일러 식물이라 한다.

* **蠢**: 벌레가 꿈틀거림.

* **著**: '着'과 같음. 달라붙어 있음. '著名', '著者'와 같이 '드러나다'의 뜻일 경우 '저'로 읽음.

027

鳥獸與魚 亦曁卉木
조 수 여 어 역 기 훼 목

鳥(새 조: 鳥-11)
獸(짐승 수: 犬-19)
與(줄 여: 臼-14)
魚(고기 어: 魚-11)
亦(또 역: 亠-6)
曁(및 기: 日-16)
卉(풀 훼: 十-5)
木(나무 목: 木-4)

조류와 짐승, 그리고 물고기 및 화훼와 나무가 있으며,

* **曁**: 연결조사. '及'과 같은 뜻임.

028

羽毛鱗甲 尾蹄齒角
우 모 린 갑 미 제 치 각

羽(깃 우: 羽-6)
毛(털 모: 毛-4)
鱗(비늘 린: 魚-23)
甲(껍질, 천간 갑: 田-5)
尾(꼬리 미: 尸-7)
蹄(굽 제: 足-16)
齒(이 치: 齒-15)
角(뿔 각: 角-7)

깃을 가진 것, 털을 가진 것, 비늘로 덮인 것, 혹 갑각류, 또는 꼬리, 발굽, 이빨, 뿔을 가진 것이 있고,

* **蹄**: 발굽. 소, 말, 돼지, 양 등 발굽을 가진 유제목 동물. 이 구절은 모든 동물은 각기 자신만의 特長을 가지고 있음, 즉 '角者無齒' 등의 의미.

029

飛鳴走躍 潛伏巢穴
비 명 주 약 잠 복 소 혈

飛(날 비: 飛-9)
鳴(울 명: 鳥-14)
走(달릴 주: 走-7)
躍(뛸 약: 足-21)
潛(잠길 잠: 水-15)
伏(엎드릴 복: 人-6)
巢(둥지 소: 巛-11)
穴(구멍 혈: 穴-5)

날아다니는 것, 우는 것, 발로 닫는 것, 뛰어오르는 것, 물속에 잠겨 사는 것, 엎드려 숨는 것, 둥지를 트는 것, 구멍을 파고 사는 것도 있고,

* **走躍**: 내닫기를 잘하는 동물과 뛰어오르기를 잘하는 동물.
* **巢穴**: 둥지를 틀고 사는 동물과 굴을 파고 사는 동물.

030

芽坼莖抽 花香葉密
아 탁 경 추 화 향 엽 밀

芽(싹 아: 艸-8)
坼(터질 탁: 土-8)
莖(줄기 경: 艸-11)
抽(뺄, 뽑을 추: 手-8)

花(꽃 화: 艸-8)
香(향기 향: 香-9)
葉(잎 엽: 艸-13)
密(빽빽할 밀: 宀-11)

싹을 터뜨려 발아하는 것, 줄기를 뽑아 올리는 것, 꽃을 피워 향기를 내는 것, 잎이 나서 빽빽해지는 것도 있으며,

* **芽坼**: 씨앗이 터져 싹을 틔우는 식물. '坼'은 '터지다'의 뜻.
* **莖抽**: 줄기(대궁)를 뽑아 올려 자라는 식물.

031

枝暢實熟 叢鬱蔓延

지 창 실 숙 총 울 만 연

枝(가지 지: 木-8)
暢(펼 창: 日-14)
實(열매 실: 宀-14)
熟(익을 숙: 火-15)
叢(모일 총: 又-18)
鬱(빽빽할 울: 鬯-29)
蔓(덩굴 만: 艸-15)
延(끌 연: 廴-7)

가지를 벋어 창성하는 것과 열매를 맺어 익는 것, 떨기로 모여 울창한 것, 줄기를 길게 벋어 나가는 것도 있으니,

* **叢鬱**: 떨기를 형성하기도 하고 울창하게 모여 자라는 식물.
* **蔓延**: 줄기를 벋어 퍼져 나가는 식물. 덩굴식물.

032

彼皆偏塞 顧奚足論
피 개 편 색 고 해 족 론

彼(저 피: 彳-8)
皆(다 개: 白-9)
偏(치우칠 편: 人-11)
塞(변방 새, 막힐 색: 土-13)
顧(돌아볼 고: 頁-21)
奚(어찌 해: 大-10)
足(발, 족할 족: 足-7)
論(논할 론: 言-15)

저 모두 두루 채워져 있는 그 많은 것을, 돌아보건대 어찌 족히 다 논할 수 있겠는가?

* **偏塞**: '偏'은 '遍'(徧)과 같음. 혹 '치우치다'의 뜻으로, 동식물이 '각기 서식 환경에 맞추어 치우쳐 자리를 잡고 분포하다'의 뜻이기도 함. '塞'은 '막다, 덮다, 채워지다'의 뜻. 변방, 要塞의 뜻일 경우 '새'로 읽음.
* **奚**: 의문사. '어찌'의 뜻.
* **足**: 명사로는 '발', 형용사로는 '족하다', 동사로 '만족하다'의 뜻.

033

就中最貴 禀秀而全
취 중 최 귀 품 수 이 전

就(이룰 취: 尢-12)	禀(줄 품: 示-13)
中(가운데 중: 丨-4)	秀(빼어날 수: 禾-7)
最(가장 최: 曰-12)	而(말 이을 이: 而-6)
貴(귀할 귀: 貝-12)	全(온전할 전: 入-6)

만물 중 가장 고귀하면서, 하늘로부터 받은 것이 뛰어나면서도 온전하며,

* **禀秀而全**: '禀'은 稟의 이체자. '禀秀'는 사람은 만물 중에 하늘로부터 가장 우수한 因子를 稟賦받았음을 말함. '而全'은 '그러면서도 완전(온전)함'. '而'는 접속사로 順接과 逆接이 있음.

034

拔羣超類　頂乾趾坤
발 군 초 류　정 건 지 곤

拔(뺄, 뽑을 발: 手-8)
羣(무리 군: 羊-13)
超(넘을 초: 走-12)
類(무리 류: 頁-19)
頂(정수리 정: 頁-11)
乾(하늘 건: 乙-11)
趾(발, 디딜 지: 足-11)
坤(땅 곤: 土-8)

무리 중에 뛰어나고 종류 중에 우뚝하며, 정수리는 하늘을 향하고, 발은 땅을 딛고,

＊ **拔羣超類**: '羣'은 群의 이체자.

＊ **頂乾趾坤**: '頂趾'와 '乾坤'은 서로 대(對)를 이루고 있음. '乾坤'은 天地를 대신하는 말. 머리부터 발까지 直立하여 하늘과 땅을 잇는 것은 사람을 가리킴.

035

參並三才　厥號爲人
참 병 삼 재　　궐 호 위 인

參(간여할 참, 가진 수 삼: 厶-11)　厥(그 궐: 厂-12)
並(아우를 병: 一-8)　號(부르짖을 호: 虍-13)
三(석 삼: 一-3)　爲(할 위: 爪-12)
才(재주 재: 手-3)　人(사람 인: 人-2)

그러면서 삼재(三才)에 참여하면서 아우른 것, 그것을 이름하여 사람이라 한다.

* **參並**: '參'은 가진 수일 경우 '삼'으로 읽음. '並'은 '幷', '竝', '并', '倂' 등의 이체자가 있음.
* **三才**: 天, 地, 人. 동양의 기본 사상은 천지(건곤), 음양 등 모든 것이 이분법으로 되어 있으나, 여기에 人이 더해짐으로써 動靜의 원리가 작동하게 된다고 본 것임.
* **厥**: '其'와 같음. 雙聲轉注(聲母 'ㄱ'이 같음)로 사용됨.

036

戴規履矩 股肱翼宣
대 규 리 구 고 굉 익 선

戴(일 대: 戈-18)	股(넓적다리 고: 肉-8)
規(법 규: 見-11)	肱(팔뚝 굉: 肉-8)
履(신, 밟을 리: 尸-15)	翼(날개 익: 羽-17)
矩(곱자 구: 矢-10)	宣(베풀 선: 宀-9)

그림쇠를 머리에 이고, 곱자를 발로 밟고, 팔과 다리로 날개를 삼아 펴고 있으며,

* **戴規履矩**: '戴履'와 '規矩'는 대를 이루고 있음. '規矩'는 그림쇠와 곱자. 규(規)는 원을 그리는 둥근 자. 컴퍼스와 같음. 구(矩)는 방형, 즉 직각을 그리는 자. 의미가 넓어져 원칙이나 잣대, 법칙, 법도 등을 뜻함. 여기서는 사람은 사회적인 윤리 도덕과 서로 간의 규칙이 있음을 말한 것임.
* **股肱**: 팔과 다리. 보필이나 중요한 신하를 뜻하는 말로 넓어짐.

037

頭面發揮 耳目口鼻
두 면 발 휘 이 목 구 비

頭(머리 두: 頁-16)
面(낯 면: 面-8)
發(필 발: 癶-12)
揮(휘두를 휘: 手-12)
耳(귀 이: 耳-6)
目(눈 목: 目-5)
口(입 구: 口-3)
鼻(코 비: 鼻-14)

머리와 얼굴로 자신의 능력을 발휘하게 되는 것이니, 바로 이목구비이다.

* **面**: '面'의 이체자.

038

胷腹藏蓄 肝腎腸胃
흉 복 장 축 간 신 장 위

胷(가슴 흉: 肉-10)
腹(배 복: 肉-13)
藏(감출 장: 艸-18)
蓄(쌓을 축: 艸-14)

肝(간 간: 肉-7)
腎(콩팥 신: 肉-12)
腸(창자 장: 肉-13)
胃(밥통 위: 肉-9)

가슴과 뱃속에는 내장을 간직하고 있으니, 간과 콩팥, 창자와 위이다.

* **胷**: '胸'의 이체자.
* **藏蓄**: 뱃속에 여러 장기(臟器)를 가지고 있음.

039

骨肉皮髮　筋脈魂魄
골　육　피　발　　근　맥　혼　백

骨(뼈 골: 骨-10)　筋(힘줄 근: 竹-12)
肉(고기 육: 肉-6)　脉(맥 맥: 肉-9)
皮(가죽 피: 皮-5)　魂(넋 혼: 鬼-14)
髮(터럭 발: 髟-15)　魄(넋 백: 鬼-15)

뼈와 살, 피부와 머리카락, 근육과 혈맥, 그리고 혼백이 있으니,

* **筋脉**: 근육과 혈맥. '脉'은 '脈'의 이체자.
* **魂魄**: 《說文》에 "魄, 陰神也: 魂, 陽氣也"라 하여, 魂과 魄을 구분하기도 하였음.

040

非徒爾也 當然是則
비 도 이 야 당 연 시 칙

非(아닐 비: 非-8)

徒(무리, 한갓 도: 彳-10)

爾(너 이: 爻-14)

也(어조사 야: 乙-3)

當(마땅 당: 田-13)

然(그럴 연: 火-12)

是(옳을, 이 시: 日-9)

則(법칙 칙, 곧 즉: 刀-9)

한갓 너희들만 그런 것이 아니다. 의당 그러한 것은 모두가 이러한 법칙을 가지고 있다.

* **徒**: 부사일 경우 '한갓', 명사일 경우 '무리'를 뜻함.
* **爾**: '너, 너희'. 현대 백화어의 你(nǐ).
* **是則**: 이와 같은 법칙. 모든 만물은 공통된 큰 원리와 자신들이 살아가는 各自圖生의 원칙도 가지고 있음. 《詩經》(大雅 烝民)에 "天生烝民, 有物有則"이라 함. '是'는 지시대명사. '是非'의 경우 '옳다'의 뜻임. '則'은 '言則是也'에서처럼 가정절 문장에서는 '즉'으로 읽음.

041

性兮本善 仁義禮智
성 혜 본 선 인 의 례 지

性(성품 성: 心-8)
兮(어조사 혜: 八-4)
本(근본 본: 木-5)
善(착할, 잘할 선: 口-12)
仁(어질 인: 人-4)
義(옳을 의: 羊-13)
禮(예도 례: 示-18)
智(슬기 지: 日-12)

인성이란 본래 선한 것이니, 그래서 인의예지에 의해 행동을 하게 된다.

* **本善**: 孟子는 性善說을, 荀子는 性惡說을 주장하였음. 서로 상대적이지만 성선설은 교육을 통해 선을 드러내도록 하자는 것이며, 성악설은 역시 교육을 통해 악이 드러나지 않도록 억제하는 힘을 기르도록 해야 한다는 것으로 결론은 같음. '善'은 '선하다, 착하다'의 뜻 외에 '最善', '次善'의 경우 '잘하다'의 뜻도 있음.
* **仁義禮智**: 흔히 여기에 '信'을 더하여 五常으로 널리 거론되며, 이것을 五行의 仁(木, 東, 青, 春, 牙), 義(金, 西, 白, 秋 齒), 禮(火, 南, 赤, 徵, 商), 智(水, 北, 黑, 冬, 羽), 信(土, 中, 黃, 宮, 季夏)과 상징적으로 연관을 짓고 있음. 그 때문에 崇禮門(南大門), 興仁門(東大門) 등의 이름을 갖게 된 것임.

042

樞紐該括　體隱用費
추 뉴 해 괄　체 은 용 비

樞(지도리 추: 木-15)　體(몸 체: 身-20)
紐(끈 뉴: 糸-10)　隱(숨길 은: 阜-17)
該(그 해: 言-13)　用(쓸 용: 用-5)
括(묶을 괄: 手-9)　費(쓸 비: 貝-12)

이 오상은 문의 지도리나 끈과 같은 것이니, 이에 맞추기도 하고 묶기도 하여, 자신의 형체를 드러내기도 하고 감추기도 하며, 쓰기도 하고 소비하기도 해야 한다.

* **樞紐**: '樞'는 문의 지도리. 운동과 고정을 맡은 가장 중요한 樞機. '紐'는 힘의 균형을 이루도록 꽉 매고 있는 끈. 仁義禮智信 五常이 이와 같음을 뜻함.
* **該括**: 該當하도록 하고, 그에 묶여 包括되도록 함.
* **體隱用費**: '軆'는 '體'의 이체자. 五常을 그에 해당하는 것에 맞게 體現하기도 하고, 숨기기도 하며, 이를 활용하기도 하고, 이를 소비하기도 해야 함을 말함.

043

大哉惟心 管領操制
대 재 유 심 관 령 조 제

大(큰 대: 大-3)
哉(어조사 재: 口-9)
惟(생각할 유: 心-11)
心(마음 심: 心-4)
管(피리 관: 竹-14)
領(옷깃 령: 頁-14)
操(잡을 조: 手-16)
制(누를 제: 刀-8)

크도다, 마음이여, 행동을 관리하고 명령하며 조종하고 제어한다.

* **哉**: 어조사로 감탄형 문장의 종결사로 쓰임.
* **管領操制**: 각기 한 글자씩 독립된 뜻을 가지고 있음. 마음(心)이 모든 행동의 管理, 統領, 操縱, 制御 등을 주재함.

044

虛靈知覺 情欲志意
허 령 지 각 정 욕 지 의

虛(빌 허: 虍-11)
靈(신령 령: 雨-24)
知(알 지: 矢-8)
覺(깨달을 각: 見-20)
情(뜻 정: 心-11)
欲(하고자 할 욕: 欠-11)
志(뜻 지: 心-7)
意(뜻 의: 心-13)

그것은 텅 비었지만 영험하여 앎과 감각이 있으니, 바로 감정과 욕구, 그리고 의지이다.

* **虛靈**: 텅 비어 있으나 영험함. '虛'는 虛의 이체자.
* **情欲志意**: 감정, 욕구, 지향, 의도 등의 정신적인 문제까지도 心이 주관함.

045

喜怒哀懼　愛惡讓辨
희 노 애 구　애 오 양 변

喜(기쁠 희: 口-12)
怒(성낼 노: 心-9)
哀(슬플 애: 口-9)
懼(두려워할 구: 心-21)
愛(사랑 애: 心-13)
惡(미워할 오, 악할 악: 心-12)
讓(사양할 양: 言-24)
辨(분별할 변: 辛-16)

사람의 마음에는 기쁨과 노여움, 슬픔과 두려움, 그리고 사랑하고 미워하고 양보와 변별함 등이 있다.

* **喜怒哀懼**: '喜怒哀樂'과 같음. 《中庸》(1)에 "喜怒哀樂之未發, 謂之中: 發而皆中節, 謂之和"라 함. 그러나 뒤의 '愛惡'에 '欲'을 더하여 사람이 느끼는 일곱 가지 감정, 즉 '七情'을 뜻하기도 함. 《禮記》(禮運)에 "何謂人情? 喜怒哀懼愛惡欲, 七者, 弗學而能"이라 함.
* **愛惡讓辨**: '愛惡'의 '惡'는 혐오, 증오의 뜻. '악함'의 뜻일 경우 '악'으로 읽음. '愛惡' 두 글자는 앞에 붙여 새김. 뒤의 '讓辨'은 讓步(辭讓)하고 잘 변별함을 뜻함.

046

鑑空畢照 端微卒顯
감 공 필 조 단 미 졸 현

鑑(거울 감: 金-22)
空(빌 공: 穴-8)
畢(마칠 필: 田-11)
照(비출 조: 火-13)
端(끝 단: 立-14)
微(작을 미: 彳-13)
卒(군사 졸: 十-8)
顯(드러날 현: 頁-23)

거울은 공간만 있으면 모두를 비춰 내어, 끝이나 미세한 부분도 마침내 드러나게 마련이다.

* **鑑**: '鑒'과 같음. 거울. 구체적인 물건 거울과 상징적인 龜鑑을 뜻하기도 함.
* **端微**: 끝과 미세한 부분. 혹 단서가 미세하다 해도 모두 들춰냄을 뜻함.

047

視聽言笑 擧止語默
시 청 언 소 거 지 어 묵

視(볼 시: 見-12) 擧(들 거: 手-18)
聽(들을 청: 耳-22) 止(그칠 지: 止-4)
言(말씀 언: 言-7) 語(말씀 어: 言-14)
笑(웃을 소: 竹-10) 默(말없을 묵: 黑-16)

보는 것, 듣는 것, 말하는 것과 웃음, 그리고 행동거지와 말하거나 침묵하거나,

* **擧止語默**: 각기 단독 뜻의 나열임. '擧止'는 行動擧止의 줄인 말.

048

坐臥步趨 寤寐瞬息
좌 와 보 추 오 매 순 식

坐(앉을 좌: 土-7)
臥(누울 와: 臣-8)
步(걸음 보: 止-7)
趨(달릴 추: 走-17)
寤(깰 오: 宀-14)
寐(잠잘 매: 宀-12)
瞬(눈깜작일 순: 目-17)
息(숨쉴 식: 心-10)

앉거나 눕거나, 걷거나 뛰거나, 깨어 있거나 잠자거나, 눈을 깜박이거나 숨을 쉬는 것에도,

＊ **步趨**: '步'는 천천히 걷는 것. '趨'는 빠르게 뛰어 내닫는 것.

＊ **瞬息**: '瞬息'은 묶어서 瞬息間의 아주 짧은 시간을 뜻하는 말로 전의됨.

049

莊恭簡舒　帥令遵守
장 공 간 서　　솔 령 준 수

莊(풀 성할 장: 艸-11)	帥(장수 수, 거느릴 솔: 巾-9)
恭(공손할 공: 心-10)	令(명령 령: 人-5)
簡(대쪽 간: 竹-18)	遵(좇을 준: 辵-16)
舒(펼 서: 舌-12)	守(지킬 수: 宀-6)

장엄하고 공손히 하며, 간결하고 편안한 태도로, 이끌고 명령하며, 따르고 지켜 내어야 한다.

* **莊恭**: 莊嚴한 의표와 공경한 태도.
* **簡舒**: '簡'은 簡約함, 簡潔함, 狂簡함. 큰 줄기만 잘 처리하는 대범한 행동 유형을 표현하는 말. 《論語》(雍也)에 "子曰:「可也簡.」仲弓曰:「居敬而行簡, 以臨其民, 不亦可乎? 居簡而行簡, 無乃大簡乎?」"라 함. '舒'는 편안함, 느긋함, 서두름이 없이 편안히 여김.
* **帥令**: '帥'은 '率'과 같음. 인솔함, 이끎, 이끄는 일과 명령하여 시켜야 할 일. '帥'는 '將帥'일 경우 '수'로 읽음.

050

若身所接 先事父母
약 신 소 접 선 사 부 모

若(같을 약: 艸-9)
身(몸 신: 身-7)
所(바 소: 戶-8)
接(이을 접: 手-11)
先(먼저 선: 儿-6)
事(일, 모실 사: 亅-8)
父(아비 부: 父-4)
母(어미 모: 毋-5)

만약 몸으로 직접 접하는 것이라면, 제일 먼저 부모님을 모시는 일이며,

* **先事父母**: 百行 중에 부모를 모시는 일이 가장 우선임. '事'는 '일', '모시다' 등 두 가지 뜻이 있음.

051

兄弟夫婦 師友君臣
형 제 부 부 사 우 군 신

兄(형 형: 儿-5)
弟(아우 제: 弓-7)
夫(지아비 부: 大-4)
婦(며느리, 아내 부: 女-11)
師(스승 사: 巾-10)
友(벗 우: 又-4)
君(임금 군: 口-7)
臣(신하 신: 臣-6)

그러고 나서 형제와 부부, 스승과 벗, 임금과 신하가 있는 것이다.

* **兄弟夫婦**: 《周易》(序封傳)에 "有天地然後有萬物, 有萬物然後有男女, 有男女然後有夫婦, 有夫婦然後有父子, 有父子然後有君臣, 有君臣然後有上下, 有上下然後禮義有所錯"라 하였고, 顔之推의 《顔氏家訓》(兄弟)에도 "夫有人民而後有夫婦, 有夫婦而後有父子, 有父子而後有兄弟. …兄弟者, 分形連氣之人也, 方其幼也, 父母左提右挈, 前襟後裾, 食則同案, 衣則傳服, 學則連業, 游則共方, 雖有悖亂之人, 不能不相愛也. 及其壯也, 各妻其妻, 各子其子, 雖有篤厚之人, 不能不少衰也. 娣姒之比兄弟, 則疏薄矣: 今使疏薄之人, 而節量親厚之恩, 猶方底而圓蓋, 必不合矣. 惟友悌深至, 不爲旁人之所移者, 免夫!"라 함.
* **師友**: 《說苑》(談叢)에 "賢師良友在其側, 詩書禮樂陳於前, 棄而爲不善者, 鮮矣"라 함.

052

孝悌忠信　敦敍彝倫
효 제 충 신　돈 서 이 륜

孝(효도 효: 子-7)
悌(공경할 제: 心-10)
忠(충성 충: 心-8)
信(믿을 신: 人-9)
敦(도타울 돈: 攴-12)
敍(차례 서: 攴-11)
彝(떳떳할 이: ⺕-16)
倫(인륜 륜: 人-10)

효도와 우애, 충성과 믿음, 이는 이륜(彝倫)을 펴 보이는 것이다.

* **孝悌**: '孝弟'로도 표기하며《論語》(學而)에 "君子務本, 本立而道生. 孝弟也者, 其爲仁之本與!"라 함.

* **敦敍**: 敦厚하게 펴서 실행에 옮김. '敍'는 '敘', '叙' 등의 이체자가 있음.

* **彝倫**: 常倫, 常道, 常理, 倫常 등의 뜻.《詩經》(大雅 烝民) "民之秉彝, 好是懿德"의 〈毛傳〉에 "彝, 常"이라 하였고, 〈鄭箋〉에 "秉, 執也. 天之生衆民, 其性有物象. 謂五行仁義禮智信也. 其情有所法, 謂喜怒哀樂好惡也. 然而民所執, 持有常道, 莫不好有美德之人"이라 함.

053

前後祖孫 左右族戚
전 후 조 손 좌 우 족 척

前(앞 전: 刀-9)	**左**(왼 좌: 工-5)
後(뒤 후: 彳-9)	**右**(오른쪽 우: 口-5)
祖(할아비 조: 示-10)	**族**(겨레 족: 方-11)
孫(손자 손: 子-10)	**戚**(겨레 척: 戈-11)

앞과 뒤로는 조상과 후손이 있고, 오른쪽 왼쪽으로는 친족과 친척이 있으니,

* **前後**: 시간적인 앞뒤. 縱的인 상황. '前'은 先과 같음.

* **左右**: 공간적인 좌우. 橫的인 동시대 상황.

054

由親逮疏 寧或離隔
유 친 체 소 녕 혹 리 격

由(말미암을 유: 田-5)	**寧**(편안할 녕: 宀-14)
親(친할 친: 見-16)	**或**(혹 혹: 戈-8)
逮(미칠 체: 辵-12)	**離**(떼놓을 리: 隹-19)
疏(트일 소: 疋-11)	**隔**(사이 뜰 격: 阜-13)

가까운 이로부터 점차 소원한 이에게까지 이르는 것이지만, 어찌 혹 거리를 두거나 간격을 둘 수 있겠는가?

* **由親逮疏**: '由'는 '起', '自'와 같음. '~로부터'의 뜻. '逮'는 '及'과 같음. 미침, 이르러 감, 확장해 나감. '親'과 '疏'는 상대어. '疏'는 '疎', '䟽', '踈' 등의 이체자가 있음.
* **寧或離隔**: '寧'은 의문사. 便安, 安寧의 뜻도 있음. '離隔'은 거리를 두거나 간격을 둠. 즉 疏忽히 함.

055

子姓嗣支 伯仲等輩
자 성 사 지 백 중 등 배

子(아들 자: 子-3) 姓(성씨 성: 女-8) 嗣(이을 사: 口-13) 支(가를 지: 支-4)

伯(맏 백: 人-7) 仲(버금 중: 人-6) 等(가지런할 등: 竹-12) 輩(무리 배: 車-15)

자손은 성을 이어받기도 하고 지족(支族)을 이루기도 하고, 맏이와 버금하는 동등한 항렬이며,

* **嗣支**: '嗣'는 직접 직계로 이어받음. '支'는 支族으로 이루어 傍系가 됨.
* **伯仲**: 맏이와 둘째. 자녀는 태어나는 순서에 따라 '伯仲叔季', 혹 孟仲叔季의 글자를 넣어 字를 삼았음.
* **等輩**: 같은 항렬. '等'은 '같다, 동등하다'의 뜻.

056

姊妹叔姪 童幼耆艾
자 매 숙 질 동 유 기 애

姊(손윗누이 자: 女-8) 童(아이 동: 立-12)
妹(누이 매: 女-8) 幼(어릴 유: 幺-5)
叔(아재비 숙: 又-8) 耆(늙은이 기: 老-10)
姪(조카 질: 女-9) 艾(쑥 애: 艸-6)

자매와 숙질은 동유(童幼)와 기애(耆艾)의 차이가 있다.

* **姊妹叔姪**: '姊妹'는 同姓의 여자끼리의 언니와 동생. '姊'는 '姉'의 이체자. '叔姪'은 삼촌과 조카.
* **童幼耆艾**: '童幼'는 어린 나이와 유년. 여기서는 자매와 숙질 사이는 많은 나이 차이가 있을 수 있음을 말함. '耆艾'의 '耆'는 예순, 혹 일흔 살의 늙은이. '艾'는 원의는 쑥이나 쉰 살. 여기서는 나이를 뜻함. 《禮記》(曲禮 上)에 "人生十年曰幼, 學. 二十曰弱, 冠. 三十曰壯, 有室. 四十曰强, 而仕. 五十曰艾, 服官政. 六十曰耆, 指使. 七十曰老, 而傳. 八十九十曰耄, 七年曰悼, 悼與耄雖有罪, 不加刑焉. 百年曰期, 頤"라 함.

057

舅甥姑姨 妻妾奴婢
구 생 고 이 처 첩 노 비

舅(시아비, 외삼촌 구: 臼-13)
甥(생질 생: 生-12)
姑(시어미, 고모 고: 女-8)
姨(이모 이: 女-9)
妻(아내 처: 女-8)
妾(첩 첩: 女-8)
奴(종 노: 女-5)
婢(여종 비: 女-11)

외삼촌과 생질, 고모와 이모, 처첩과 노비,

* **舅甥姑姨**: 외삼촌과 생질. 고모와 이모.

058

賓客朋僚 故舊隣里
빈 객 붕 료 고 구 린 리

賓(손 빈: 貝-14)
客(손 객: 宀-9)
朋(벗 붕: 月-8)
僚(동료 료: 人-14)
故(옛, 연고 고: 攴-9)
舊(옛 구: 臼-18)
隣(이웃 린: 阜-15)
里(마을 리: 里-7)

빈객과 붕우, 동료와 옛 친구, 그리고 이웃들.

* **朋僚**: 朋友와 同僚.《論語》(學而)에 "有朋自遠方來, 不亦樂乎?"라 함.
* **故舊隣里**: '故舊'는 예부터 오래 사귀어 緣故가 있는 친구. '隣里'는 이웃과 같은 마을 사람들. '隣'과 '鄰'은 이체자.

059

分別男女 次序尊卑
분 별 남 녀 차 서 존 비

分(나눌 분: 刀-4)
別(나눌 별: 刀-7)
男(사내 남: 田-7)
女(계집 녀: 女-3)

次(버금 차: 欠-6)
序(차례 서: 广-7)
尊(높을 존: 寸-12)
卑(낮을 비: 十-8)

남녀를 분별하며, 존비에 차이와 순서를 두고,

* **分別男女**: 《禮記》(內則)에 "七年, 男女不同席, 不共食"이라 함.

060

慈惠睦恤 觸處罔違
자 혜 목 휼 촉 처 망 위

慈(사랑할 자: 心-13) 觸(닿을 촉: 角-20)
惠(은혜 혜: 心-12) 處(곳 처: 虍-11)
睦(화목할 목: 目-13) 罔(없을 망: 网-8)
恤(구휼할 휼: 心-9) 違(어길 위: 辵-13)

자애로움과 은혜, 화목함과 긍휼히 여김으로써, 접촉하고 처리하는 일마다 이에 위배됨이 없어야 한다.

* **睦恤**: '睦'은 화목함. '恤'은 구휼함. 긍휼히 여김.
* **觸處罔違**: '觸處'는 '접촉하는 대상마다'의 뜻. '罔'은 毋, 無, 勿, 未, 亡과 같음. 모두 雙聲互訓.

061

侍奉供養 臨撫慰待
시 봉 공 양 림 무 위 대

侍(모실 시: 人-8)
奉(받들 봉: 大-8)
供(이바지할 공: 人-8)
養(기를 양: 食-15)
臨(임할 림: 臣-17)
撫(어루만질 무: 手-15)
慰(위로할 위: 心-15)
待(기다릴 대: 彳-9)

모시어 받들고 공양하여, 임할 때마다 어루만져 위로하고 대접하며,

* **供養**: 먹을 것으로써 받들어 모심.

062

拜揖升降　灑掃應對
배 읍 승 강　쇄 소 응 대

拜(절 배: 手-9)
揖(읍할 읍: 手-12)
升(되, 오를 승: 十-4)
降(내릴 강, 항복할 항: 阜-9)

灑(뿌릴 쇄: 水-22)
掃(쓸 소: 手-11)
應(응할 응: 心-17)
對(마주할 대: 寸-14)

절하고 읍하며 오르내림과, 물 뿌리고 비로 쓸고 응답하고 맞이하여 대하는 일 등,

* **拜揖升降**: 빈객을 대하는 여러 가지 예. '升'은 '昇'과 같음. 혹 곡물 등의 들이를 재는 '되'를 가리키기도 함. '降'은 항복(降伏), 투항(投降)의 경우처럼 '항복하다'의 뜻에는 '항'으로 읽음.
* **灑掃應對**: '灑掃'는 어린아이일 때부터 해야 할 기본 임무들. 《論語》에는 '洒埽'로 표기하였음. 《論語》 子張篇에 "子游曰:「子夏之門人小子, 當洒埽應對進退, 則可矣. 抑末也. 本之則無, 如之何?」"라 하였고, 朱熹의 《小學》 題書에 "古者小學教人, 以灑掃·應對·進退之節, 愛親·敬長·隆師·親友之道, 皆所以爲修身齊家治國平天下之本, 而必使其講而習之於幼穉之時, 欲其習與智長化與心成, 以無扞格不勝之患也"라 하여 어린이를 위한 주요 덕목으로 인용되었음.

063

飮食衣服　冠婚喪祭
음 식 의 복　관 혼 상 제

飮(마실 음: 食-13)
食(먹을 식, 밥 사: 食-9)
衣(옷 의: 衣-6)
服(옷 복: 月-8)
冠(갓 관: 冖-9)
婚(혼인할 혼: 女-11)
喪(죽을 상: 口-12)
祭(제사 제: 示-11)

음식과 의복, 관혼상제와,

* **飮食衣服**: 삶에서 가장 기본적인 것. 《禮記》(大運)에 "飮食男女, 人之大欲存焉"이라 함. '食'은 명사일 경우 '사'로 읽음.
* **冠婚喪祭**: 四禮. 일생 반드시 치러야 할 儀禮. 冠禮, 婚禮, 喪禮, 祭禮.

064

迎送出入 候謁贈寄
영 송 출 입 후 알 증 기

迎(맞이할 영: 辵-8) 候(물을 후: 人-10)

送(보낼 송: 辵-10) 謁(아뢸 알: 言-16)

出(날 출: 凵-5) 贈(보낼 증: 貝-19)

入(들 입: 入-2) 寄(부칠 기: 宀-11)

맞이하고 보내며 나가고 들어오며, 기다리고 뵈옵고 증여하고 기탁하는 일,

＊ **候謁贈寄**: '候'는 問候. 안부를 물음. '기다리다(候補), 기후(氣候)' 등의 뜻도 있음. '謁'은 직접 찾아뵙는 것. '贈'은 증정함. '寄'는 기여, 기증, 기부함, 기탁함, 물건 따위를 부침.

065

饗獻問遺 辭受報謝
향 헌 문 유 사 수 보 사

饗(잔치 향: 食-22)
獻(바칠 헌: 犬-20)
問(물을 문: 口-11)
遺(끼칠 유: 辵-16)
辭(말씀 사: 辛-19)
受(받을 수: 又-8)
報(갚을 보: 土-12)
謝(사례할 사: 言-17)

잔치 열어 먹여 주고 바치고 위문하며 남겨 주고, 사양하고 받고 보답하고 사례하는 일,

* **饗獻**: 잔치를 열어 음식으로 대접함. 射饗禮, 饗獻禮 등이 있었음.
* **問遺**: 慰問하기도 하고 물건을 贈遺하기도 함.
* **辭受**: 타인의 선물 등에 대해 사절하기도 하고 혹 받기도 함. '辭'는 사양함.
* **報謝**: 남에게 보답하기도 하고 고맙다는 표시도 함. '謝'는 감사히 여김, 사례함.

066

死患吊救 榮慶燕賀
사환조구 영경연하

死(죽을 사: 歹-6)
患(근심 환: 心-11)
吊(조상할 적(조): 口-6)
救(구할 구: 攴-11)
榮(영화 영: 木-14)
慶(경사 경: 心-15)
燕(제비, 잔치 연: 火-16)
賀(하례 하: 貝-12)

죽음과 질환에 조문하고 구휼하는 일이며, 영광과 경사스러운 일에 잔치 열고 축하하며,

* **吊救**: '吊'의 원음은 '적'. 그러나 '弔'(조)와 통하여 弔問, 弔喪을 뜻함. '救'는 救恤함, 救濟함.
* **燕賀**: '燕'은 본뜻은 '제비'이나 '宴'과 통하여 잔치, 또는 편안한 일상의 의미로 쓰였음.

067

役勞調給 輕重薄豐
역 로 조 급 경 중 박 풍

役(부릴 역: 彳-7)
勞(일할 로: 力-12)
調(고를 조: 言-15)
給(넉넉할, 줄 급: 糸-12)
輕(가벼울 경: 車-14)
重(무거울 중: 里-9)
薄(엷을 박: 艸-17)
豐(풍성할 풍: 豆-18)

사역과 노동, 그리고 조달과 공급에는 경중과 박풍(薄豐)이 있으니,

* **調給**: 調達과 供給.
* **薄豐**: 엷음과 풍성함의 차이. 厚薄, 凶豐의 구별. '豐'은 혹 '豊(례)'으로 쓰기도 하나, 이는 오류임.

068

莅官務職 忘己徇公
리 관 무 직 망 기 순 공

莅(다다를 리: 艸-11) 忘(잊을 망: 心-7)
官(벼슬 관: 宀-8) 己(몸 기: 己-3)
務(힘쓸 무: 力-11) 徇(따를 순: 彳-9)
職(벼슬 직: 耳-18) 公(공변될 공: 八-4)

관직에 임해서는 직무에 힘쓰되, 자신은 잊고 공의에 따라야 하며,

* **莅官**: 관직에 임함. '莅'는 '蒞'와 같으며 '臨'의 뜻.
* **徇**: 단순히 '따르다'의 뜻을 넘어 '목숨까지 바쳐 임무를 수행함'(殉)의 뜻.

069

使民汎恕　御煩要詳
사 민 범 서　　어 번 요 상

使(하여금 사: 人-8)　　御(어거할 어: 彳-11)
民(백성 민: 氏-5)　　煩(괴로워할 번: 火-13)
汎(뜰 범: 水-6)　　要(구할 요: 襾-9)
恕(용서할 서: 心-10)　　詳(자상할 상: 言-13)

백성을 부림에는 널리 용서하고, 번거로운 것을 제어하여 자상하게 대처함이 요구된다.

* **恕**: 관용을 베풀어 너그럽게 용서함. 《論語》(里仁) "曾子曰: 「夫子之道, 忠恕而已矣.」"의 注에 "如心爲恕"라 하였고, 《中庸》(13)에는 "忠恕違道不遠: 施諸己而不願, 亦勿施於人"이라 함.
* **御煩**: 번거로운 것을 제어함.

070

科級委曲 措置恢張
과 급 위 곡 조 치 회 장

科(과정 과: 禾-9)	措(둘 조: 手-11)
級(등급 급: 糸-10)	置(둘 치: 网-13)
委(맡길 위: 女-8)	恢(넓을 회: 心-9)
曲(굽을 곡: 曰-6)	張(베풀 장: 弓-11)

과거와 승급은 사정의 변화에 맡겨 두고, 처리하는 일들은 넓게 펼쳐 나가되,

* **科級委曲**: '科級'은 과거시험과 벼슬에서의 승급. '委曲'은 일의 흐름에 따름. 《史記》(天官書)에 "若至委曲小變, 不可勝道"라 함.

* **恢張**: 넓게 하여 펼쳐 나감. 宋 司馬光의 〈劉道原十國紀年序〉에 "天子方屬公以政事, 宜恢張堯舜之道, 以佐明主, 不應以財用爲先"이라 함.

071

間又勤業　博約相依

간 우 근 업　박 약 상 의

間(사이 간: 門-12)
又(또 우: 又-2)
勤(부지런할 근: 力-13)
業(업 업: 木-13)
博(넓을 박: 十-12)
約(묶을 약: 糸-9)
相(서로 상: 目-9)
依(의지할 의: 人-8)

사이사이에 또다시 자신의 업무에 부지런히 하고, 넓게 하되 이를 잘 묶어 서로 의지하고,

* **博約**: 《論語》(雍也)에 "子曰: 「君子博學於文, 約之以禮, 亦可以弗畔矣夫!」"라 함.

072

讀書涉史 玩易詠詩
독 서 섭 사 완 역 영 시

讀(읽을 독: 言-22) 玩(즐길 완: 玉-8)
書(쓸, 글 서: 曰-10) 易(바꿀 역, 쉬울 이: 日-8)
涉(건널 섭: 水-10) 詠(읊을 영: 言-12)
史(역사 사: 口-5) 詩(글 시: 言-13)

책을 읽고 역사를 섭렵하되,《주역》을 즐겨 보고《시》를 읊도록 하라.

* **讀書涉史**: '讀書'는 혹 '《書經(尙書)》을 읽음'으로 볼 수 있으며, '涉史'는 여러 역사책도 두루 섭렵함의 뜻일 수도 있음.
* **玩易詠詩**: '玩'은 '翫'의 이체자. 玩賞함.《易》은《周易》. 만물의 이치와 원리를 64괘로 분류하여 설명한 것. 점치는 책이며 동시에 수양서.《詩》는《詩經》. 風雅頌으로 구분하여 민요, 음악의 가사, 송가 등 311편으로 나뉘어 있음.

073

藝六齊七 餘暇詞翰
예 륙 제 칠 여 가 사 한

藝(심을 예: 艸-19)	餘(남을 여: 食-16)
六(여섯 륙: 八-4)	暇(겨를 가: 日-13)
齊(가지런할 제: 齊-14)	詞(말씀 사: 言-12)
七(일곱 칠: 一-2)	翰(글 한: 羽-16)

육예(六藝)를 익히고 칠서(七書)를 모두 읽되, 시간이 남으면 문장과 편지글도 연습해야 한다.

* **六藝**: 여섯 가지 학과 제목. 흔히 禮, 樂, 射, 御, 書, 數를 들고 있으며, '禮'는 예절 익히기, '樂'은 음악, '射'는 활쏘기, '御'는 말타기, '書'는 글씨 쓰기, '數'는 算數를 뜻함.
* **齊七**: '齊'는 균등하게 함을 뜻함. 고르게 모두 익힘. '七'은 七書. 즉 四書三經. '四書'는 《論語》, 《孟子》, 《中庸》, 《大學》. 宋나라 朱熹가 편정하여 儒學의 기본 교재로 널리 사용됨. '三經'은 《易經(周易)》, 《詩經(毛詩)》, 《書經(尙書)》을 가리킴. 조선은 訓民正音을 창제한 후 서둘러 이 七書를 諺解하여 널리 읽도록 하기도 하였음.
* **詞翰**: 詞章과 書翰. 즉 문장 짓기를 뜻함.

074

甘苦憂樂 毁譽恩怨
감 고 우 락 훼 예 은 원

甘(달 감: 甘-5)
苦(쓸 고: 艸-9)
憂(근심할 우: 心-15)
樂(즐길 락, 풍류 악, 좋아할 요: 木-15)
毁(헐 훼: 殳-13)
譽(기릴 예: 言-21)
恩(은혜 은: 心-10)
怨(원망할 원: 心-9)

달고 쓰고, 걱정되고 즐거운 일, 헐뜯고 자랑하고, 은혜로 여기고 원한으로 삼는 일,

* **甘苦**: '苦盡甘來'의 성어가 있음.
* **樂**: '즐겁다'(락), '음악'(악), '즐기다'(요) 등 여러 뜻과 다른 음이 있음.
* **恩怨**: 은혜와 원한. 옛말에 "은혜는 돌에 새기고 원한은 물에 새겨라"(恩刻於石, 怨契于水)라 하였음.

075

壽夭貧富 吉凶災祥
수 요 빈 부 길 흉 재 상

壽(목숨 수: 士-14)
夭(어릴, 일찍 죽을 요: 大-4)
貧(가난할 빈: 貝-11)
富(가멸 부: 宀-12)
吉(길할 길: 口-6)
凶(흉할 흉: 凵-4)
災(재앙 재: 火-7)
祥(상서로울 상: 示-11)

장수하고 일찍 죽고, 가난하고 부유한 것, 길하고 흉한 것이나, 재앙과 상서로운 일들,

* **壽夭**: 수명의 길고 짧음. '壽夭長短'의 줄인 말. '夭'는 요절함. '殀'와 같음.
* **災祥**: 재앙과 행운. '災'는 '灾', '烖'와 같음. 祥은 祥瑞로운 일.

076

修吾竭力 效付諸蒼
수오갈력 효부저창

修(닦을 수: 人-10)
吾(나 오: 口-7)
竭(다할 갈: 立-14)
力(힘 력: 力-2)
效(본받을 효: 攴-10)
付(줄 부: 人-5)
諸(모두 제, 어조사 저: 言-16)
蒼(푸를 창: 艸-14)

이는 내가 온 힘을 다해 닦아 나아가되, 그 효험은 하늘에 맡길 것이니라.

* **修**: 잘 닦음. '脩'의 이체자.
* **效付諸蒼**: '效'는 효험. '効'의 이체자. '付'는 맡김. '諸'는 '之於, 之乎, 之于'의 合音字. '저'로 읽음. '많다, 여럿' 등의 뜻일 경우 '제'로 읽음. '蒼'은 창공, 하늘, 운수를 비유함. 074와 075에서 말한 '甘苦~災祥'까지의 일은 하늘에 맡김.

077

釐整彙産 因勢篤材
리 정 휘 산 인 세 독 재

釐(다스릴 리: 里-18)
整(가지런할 정: 攴-16)
彙(무리 휘: 彐-13)
産(낳을 산: 生-11)
因(인할 인: 口-6)
勢(기세 세: 力-13)
篤(도타울 독: 竹-16)
材(재목 재: 木-7)

모아 놓은 재산도 일일이 정리하되, 형세의 흐름에 따라 인재를 독실히 여길 것이니라.

* **釐整**: 고치고 정리하여 바로잡음. 《宋書》(武帝紀)에 "桓玄欲釐整, 而衆莫從之"라 함.
* **彙産**: 재산을 모음, 혹 모아 놓은 재산.
* **因勢**: 형세에 따름. '因'은 '근거로 하다, 따르다, 원인으로 하다' 등의 뜻.
* **篤材**: '篤'은 돈독히 여김. '材'는 기본 人材나 題材. 본바탕이 되는 자본, 소재.

078

財輔損益 百度需資
재 보 손 익 백 탁 수 자

財(재물 재: 貝-10)
輔(덧방나무 보: 車-14)
損(덜 손: 手-13)
益(더할 익: 皿-10)
百(일백 백: 白-6)
度(법도 도, 헤아릴 탁: 广-9)
需(구할 수: 雨-14)
資(재물 자: 貝-13)

보필들은 나라 재정의 손익(損益)에 대해 온갖 경우를 다 헤아려 필요한 물자를 관리해야 한다.

* **百度需資**: '度'은 동사로 '헤아리다'의 뜻이며, '정도'의 뜻일 경우 '도'로 읽음. '需資'는 수요와 이에 맞출 수 있는 자본, 혹 바탕.

079

田穀菽麥 黍稷稻粱
전 곡 숙 맥 서 직 도 량

田(밭 전: 田-5)
穀(곡식 곡: 禾-14)
菽(콩 숙: 艸-12)
麥(보리 맥: 麥-11)
黍(기장 서: 黍-12)
稷(피 직: 禾-15)
稻(벼 도: 禾-15)
粱(기장 량: 米-13)

밭에서 나는 곡물로는 콩과 보리, 기장과 피, 벼와 고량이 있고,

* **菽麥**: 콩과 보리. 혹 이를 구분하지 못하는 경우를 '숙맥'이라 함. 춘추시대 晉나라 공자 周子의 형은 콩과 보리도 구분하지 못하여 할 수 없이 어린 주자를 임금으로 세웠다는 고사에서 유래됨. 《左傳》(成公 18년 傳)에 "周子有兄而無慧, 不能辨菽麥, 故不可立"이라 함.
* **黍稷稻粱**: '黍'는 기장, 혹 黍粟, 좁쌀. '稷'은 피. '稻'는 벼. '粱'은 高粱, 혹 기장. '도량'은 혹 단순한 먹거리를 뜻하는 말로도 쓰임. "讀書不爲稻粱謀, 胸中詩書氣自華"라 하였음.

080

圃菜芹菁　匏瓜蔥薑
포 채 근 청　포 과 총 강

圃(밭 포: 囗-10)　匏(박 포: 勹-11)

菜(나물 채: 艸-12)　瓜(오이 과: 瓜-5)

芹(미나리 근: 艸-8)　蔥(파 총: 艸-15)

菁(우거질, 무 청: 艸-12)　薑(생강 강: 艸-17)

채마밭에서 나는 채소로는 미나리, 무, 박과 오이, 파와 생강이 있으며,

* **圃菜芹菁**: '圃'는 채마밭, 텃밭, 채소밭. '芹'은 미나리. '菁'은 무, 혹은 부추(韮)라고도 함.
* **匏瓜蔥薑**: '匏'는 박, 혹은 호박. '瓜'는 오이, 혹 외. '蔥'은 파. '葱'은 이체자. '薑'은 생강. 《千字文》에 "果珍李柰, 菜重芥薑"이라 함.

081

園核桃李　棗柿梨橘
원 핵 도 리　조 시 리 귤

園(동산 원: 口-13)
核(씨 핵: 木-10)
桃(복숭아 도: 木-10)
李(오얏, 자두 리: 木-7)

棗(대추 조: 木-12)
柿(감 시: 木-9)
梨(배 리: 木-11)
橘(귤 귤: 木-16)

과원(果園)에서 나는 씨가 있는 과실로는 복숭아, 오얏, 대추, 감, 배, 귤이 있다.

* **園核桃李**: '園'은 과원, 과수원. '核'은 씨, 씨가 있는 과일. '李'는 오얏, 오늘날의 자두를 가리킴.
* **棗柿梨橘**: '橘'은 後漢 때 어린 陸積이 袁術을 찾아갔을 때 귤을 주자 이를 품고 어머니에게 가져다드린 고사가 있음. 《二十四孝》(懷橘遺親)에 "後漢, 陸績, 字公紀, 六歲時, 到九江拜見袁術, 術出橘待之. 績懷橘二枚, 及跪, 拜辭, 墮地. 術曰:「陸郎作賓客而懷橘乎?」績跪答曰:「吾母性之所愛, 欲歸以遺母.」術大奇之"라 함.

082

閨績蠶絲 桑麻紵葛
규 적 잠 사 상 마 저 갈

閨(안방 규: 門-14)
績(실 자을 적: 糸-17)
蠶(누에 잠: 虫-24)
絲(실 사: 糸-12)
桑(뽕나무 상: 木-10)
麻(삼 마: 麻-11)
苧(모시 저: 艸-9)
葛(칡 갈: 艸-13)

규방 부녀자들에게는 실잣기와, 뽕잎 따기, 삼베, 모시, 갈포를 다루는 일이 있고,

* **閨績蠶絲**: '閨'는 아녀자들이 있는 안방. 여기서는 부녀자들의 일을 뜻함. '績'은 실잣기, 혹은 옷감 짜기, 길쌈. '蠶絲'는 누에를 쳐서 고치를 만들고 다시 실을 자아내는 일. '蠶'은 고대 黃帝의 비 누조(嫘祖)가 뽕나무에 고치를 트는 누에를 보고 처음으로 누에치기를 발명하였다 함.
* **桑麻紵葛**: '麻'는 삼베. '紵'는 모시. '葛'은 칡. 칡에서 섬유를 채취하여 어름용 옷을 만들었으며 이를 葛布, 葛衣라 하였음.

083

家畜馬牛 雞狗羊猪
가 축 마 우 계 구 양 저

家(집 가: 宀-10)	雞(닭 계: 隹-18)
畜(가축 축: 田-10)	狗(개 구: 犬-8)
馬(말 마: 馬-10)	羊(양 양: 羊-6)
牛(소 우: 牛-4)	猪(돼지 저: 犬-12)

집에서 기르는 가축으로는 말과 소, 닭, 개, 양, 돼지가 있으니,

* **雞狗羊猪**: 집에서 기르는 가축류. '雞'는 '鷄'의 이체자. '猪'는 '豬'의 이체자.

084

便好切急 耕織牲輸
편 호 절 급　경 직 생 수

便(편할 편: 人-9)　耕(밭갈 경: 耒-10)
好(좋을 호: 女-6)　織(짤 직: 糸-18)
切(끊을 절: 刀-4)　牲(희생 생: 牛-9)
急(급할 급: 心-9)　輸(나를 수: 車-16)

편리하게 잘 기르고 준비하여 절실하거나 급한 데에 맞추어, 농사짓고 길쌈하며, 가축을 잡아 보내 주어야 한다.

* **便好切急**: '便好'는 편리함을 뜻함. '切'은 '끊다, 매우'의 뜻일 경우 '절'로, 자른 한 토막의, 즉 '一切'의 경우 '체'로 읽음. 한편 '便'은 '小便', '大便'의 경우 '변'으로 읽음.
* **牲輸**: 가축을 희생으로 사용하여 필요한 일에 보내 줌. '輸'는 '需'의 뜻으로 볼 수 있음. 수용에 충당함.

085

麟鳳龜龍 特云奇瑞
린 봉 구 룡 특 운 기 서

麟(기린 린: 鹿-23)
鳳(봉새 봉: 鳥-14)
龜(거북 귀, 구. 터질 균: 龜-16)
龍(용 룡: 龍-16)
特(특별할 특: 牛-10)
云(이를 운: 二-4)
奇(기이할 기: 大-8)
瑞(상서로울 서: 玉-13)

기린, 봉황, 거북, 용은 특히 기이하며 상서로운 것이라 일컬었고,

* **麟鳳龜龍**: 여기서 거북을 제외한 셋은 상상의 동물이며 모두 신령한 것으로 여겼음. 지금의 기린은 長頸鹿이며 麟(麒麟)은 상상의 동물임. '龜'는 '귀'로도 읽으며, '갈라지다, 터지다'의 뜻인 '龜裂'의 경우 '균'으로 읽음.
* **特云奇瑞**: 특별히 기이한 瑞物이라 일컬어 이 넷을 '四靈'이라 하였음. 《禮記》(禮運)에 "麟鳳龜龍, 謂之四靈"이라 하였고, 《大戴禮記》(曾子天圓)에는 "毛蟲之精者曰麟, 羽蟲之精者曰鳳, 介蟲之精者曰龜, 鱗蟲之精者曰龍, 倮蟲之精者曰聖人"이라 함.

086

芳英芝蘭 荷菊梅桂
방 영 지 란 하 국 매 계

芳(꽃다울 방: 艸-8)
英(꽃부리 영: 艸-9)
芝(지초 지: 艸-8)
蘭(난초 란: 艸-21)
荷(연, 짐 하: 艸-11)
菊(국화 국: 艸-12)
梅(매화 매: 木-11)
桂(계수나무 계: 木-10)

향기에 꽃다운 것으로는 지란(芝蘭)과 연꽃, 국화, 매화, 계수나무가 있으며,

* **芝蘭**: 난초. 향기를 대표하는 방향식물. 《孔子家語》(六本)에 "與善人居, 如入芝蘭之室, 久而不聞其香, 卽與之化矣. 與不善人居, 如入鮑魚之肆, 久而不聞其臭, 亦與之化矣"라 하였고, 〈在厄〉편에는 "芝蘭生於深林, 不以無人而不芳: 君子修道立德, 不謂窮困而改節"이라 함.
* **荷**: 연꽃의 일종. 그 외 荷物, 荷重 등처럼 '짐', 혹은 '짐을 지다'의 뜻으로도 쓰임. '蓮'도 연꽃의 일종이며 동양화에서 梅, 蘭, 菊, 竹을 四君子라 함.

087

鶴雁鷗鷺 烏鵲鷹雉
학 안 구 로 오 작 응 치

鶴(학 학: 鳥-21)
雁(기러기 안: 隹-12)
鷗(갈매기 구: 鳥-22)
鷺(해오라기 로: 鳥-23)
烏(까마귀, 검을, 어찌 오: 火-10)
鵲(까치 작: 鳥-19)
鷹(매 응: 鳥-24)
雉(꿩 치: 隹-13)

각종 동물로는 학, 기러기, 갈매기, 해오라기, 까마귀, 까치, 매, 꿩이 있으며,

* **雁**: 기러기. '鴈'의 이체자.
* **烏**: 까마귀. 혹 '烏竹軒', '烏雲' 등 '검다'의 뜻으로도, 혹은 의문사로도 쓰임.

088

鳶雀蜂蝶 蟬螢蛇蟻
연 작 봉 접 　 선 형 사 의

鳶(제비 연: 鳥-23)
雀(참새 작: 隹-11)
蜂(벌 봉: 虫-13)
蝶(나비 접: 虫-15)

蟬(매미 선: 虫-18)
螢(개똥벌레, 반딧불이 형: 虫-16)
蛇(뱀 사: 虫-11)
蟻(개미 의: 虫-19)

제비, 참새, 벌, 나비, 매미, 반딧불이, 뱀, 개미가 있으며,

* **鳶**: 제비. '燕'의 이체자. 혹 鳦'(을)로도 불리는 燕形目 燕科의 조류.
* **蛇蟻**: '蛇'는 '虵'로도 표기함. '蟻'는 개미. 螞蟻로도 불림.

089

虎鹿熊猿 猫鼠狐兎
호 록 웅 원 묘 서 호 토

虎(범 호: 虍-8)
鹿(사슴 록: 鹿-11)
熊(곰 웅: 火-14)
猿(잔나비 원: 犬-13)
猫(고양이 묘: 犬-12)
鼠(쥐 서: 鼠-13)
狐(여우 호: 犬-8)
兎(토끼 토: 儿-7)

호랑이, 사슴, 곰, 원숭이, 그리고 고양이와 쥐, 여우와 토끼,

* **猿**: 원숭이. '猨'의 이체자.
* **猫**: 고양이. '貓'의 이체자.
* **兎**: 토끼. '兔'의 이체자.

090

鼈蛤蟹魴 鱸鱖鯉鮒
별 합 해 방 로 궐 리 부

鼈(자라 별: 黽-25)

蛤(조개 합: 虫-12)

蟹(게 해: 虫-19)

魴(방어 방: 魚-15)

鱸(농어 로: 魚-27)

鱖(쏘가리 궐: 魚-23)

鯉(잉어 리: 魚-18)

鮒(붕어 부: 魚-16)

자라, 조개, 게, 방어, 그리고 농어, 쏘가리, 잉어, 붕어 등도 있다.

* **鼈**: 자라. 혹 '鱉'로도 표기함.
* **鱸鱖鯉鮒**: '鱖'은 쏘가리. 그 외 농어, 잉어, 붕어는 원음이 '노어'(로어), '이어'(리어), '부어'이나 두음법칙에 첫 자음이 바뀐 것이며, '魚'의 원음이 '어(ŋə)'였으며 여기서 'ㆁ'이 윗글자가 받침이 없을 경우, 앞으로 전이되어 농어(鱸魚), 붕어(鮒魚), 잉어(鯉魚), 상어(鯊魚), 융어(鮪魚-웅어), 오징어(烏賊魚) 등으로 불리는 것임. 순수 우리말도 '아기(아지)'가 뒤로 올 경우 망아지, 강아지, 송아지 등이 되는 것과 같은 원리임.

091

松竹桐柏 槐杏柳漆
송 죽 동 백 괴 행 류 칠

松(소나무 송: 木-8) 槐(홰나무 괴: 木-14)
竹(대 죽: 竹-6) 杏(살구 행: 木-7)
桐(오동 동: 木-10) 柳(버들 류: 木-9)
柏(잣 백: 木-9) 漆(옻 칠: 水-14)

나무로는 소나무, 대나무, 오동나무, 잣나무와 회화나무, 살구나무, 버드나무, 옻나무가 있고,

* **柏**: 잣나무, 혹 측백, 편백나무. '栢'으로도 표기함.
* **槐**: 회화나무, 혹 홰나무라고도 하며 콩과에 속하는 낙엽활엽교목으로 학명은 Sophora japonica L. 잎은 우상복엽이며 꽃은 8월부터 황백색의 원추화서(圓錐花序)로 차례에 달림. 열매는 꼬투리 형태이며 길이 5~8㎝로서 10월에 익음. 한방에서는 꽃을 괴화(槐花), 열매를 괴각(槐角)이라 부르며 약재로 이용하기도 함. 마치 아카시나무와 비슷하며 원래 중국에서는 廟堂 등에 많이 심었으나 한국에서는 지금은 가로수로도 널리 심고 있어 쉽게 볼 수 있음. 특히 蘇軾의 〈三槐堂銘〉이라는 글로 인해 흔히 '재상나무', '三公樹'라고도 불림.
* **柳漆**: '柳'는 버드나무. '漆'은 옻나무. 옻즙은 여러 번 칠하면 검은색을 띠어 혹 漆黑, 漆書처럼 '검다'의 뜻으로도 쓰임.

092

棘櫟蒲蘆 蘇蕭藻蕨
극 력 포 로 소 소 조 궐

棘(멧대추나무 극: 木-12)
櫟(상수리나무 력: 木-19)
蒲(부들 포: 艸-14)
蘆(갈대 로: 艸-20)
蘇(차조기, 소생할 소: 艸-20)
蕭(맑은대쑥 소: 艸-16)
藻(말 조: 艸-20)
蕨(고사리 궐: 艸-16)

가시나무, 상수리나무, 부들, 갈대, 차조기, 맑은 쑥, 마름, 고사리가 있다.

* **棘櫟蒲蘆**: '棘'은 가시나무, 혹 구체적으로 멧대추나무라고도 함. '櫟'은 상수리나무, 혹은 가시나무의 범칭. '蒲'는 물가에 자라는 부들. '蘆'는 갈대, 蘆葦, 蒹葭.
* **蘇蕭藻蕨**: '蘇'는 차조기. '紫蘇', 혹 '桂荏'이라 불리는 식물명. 脣形科 一年生草本植物. 줄기와 잎이 자색이며 잎과 열매를 약재나 식용으로 사용함. 《說文》에는 "桂荏也"라 하였고, 《本草》 '紫蘇'의 注에 "蘇性舒暢, 行氣和血, 故謂之蘇. 蘇乃荏類, 而味辛如桂. 故《爾雅》謂之桂荏"이라 함. 들깨와 유사하게 생겼으며 자색을 띰. '소생하다'의 뜻으로도 쓰임. '蕭'는 쑥의 일종. 쑥을 이르는 한자로는 蒿, 艾, 茵蔯 등 여러 가지가 있음. '藻'는 수초의 일종. 말(마름)풀. 동심원의 무늬를 띠고 있어 이를 장식 문양으로 널리 쓰임. '蕨'은 고사리. 흔히 '薇'를 고사리라 하나 이는 고비임.

093

寶貝珠玉 銀錫銅鐵
보 패 주 옥 은 석 동 철

寶(보배 보: 宀-20)
貝(조개 패: 貝-7)
珠(구슬 주: 玉-10)
玉(구슬 옥: 玉-5)
銀(은 은: 金-14)
錫(주석 석: 金-16)
銅(구리 동: 金-14)
鐵(쇠 철: 金-21)

보배로 여기는 것으로는 진주와 옥이 있고, 은과 주석, 구리와 철도 있는데,

* **寶貝**: 우리말로는 '보배'로 음이 바뀜. 보물과 조개껍질. 옛날에는 이를 돈 대신 사용하였음.
* **鐵**: 우리 東夷族이 철을 잘 다루었다 하여 '銕(철)'로도 표기함.

094

閑散紛雜 漁獵採伐
한 산 분 잡 어 렵 채 벌

閑(막을, 한가할 한: 門-12)
散(흩을 산: 攴-12)
紛(어지러울 분: 糸-10)
雜(섞일 잡: 隹-18)
漁(고기 잡을 어: 水-14)
獵(사냥 렵: 犬-18)
採(캘 채: 手-11)
伐(칠 벌: 人-6)

이처럼 흩어져 이리저리 섞겨 복잡하게 널려 있으며, 이들은 고기잡이, 사냥, 채집, 벌채를 하여 이용하고 있다.

* **紛雜**: 紛紜하고 複雜하게 널리 퍼져 있음.
* **漁獵**: 물고기를 잡고 짐승을 사냥함.

095

圭組袞冕 宮殿廷省
규 조 곤 면 궁 전 정 성

圭(홀 규: 土-6)
組(끈 조: 糸-11)
袞(곤룡포 곤: 衣-11)
冕(면류관 면: 冂-11)
宮(집 궁: 宀-10)
殿(큰 집 전: 殳-13)
廷(조정 정: 廴-7)
省(살필 성, 줄일 생: 目-9)

규홀(圭笏), 인조(印組), 곤룡포, 면류관이 있고, 궁궐과 전각, 조정과 행정부서,

* **圭組袞冕**: '圭'는 圭笏. 신하들이 허리띠에 꽂았던 禮器. '組'는 印組. 도장끈. 혹 印綬라고도 함. '袞'은 곤룡포. '冕'은 면류관. 모두 높은 벼슬을 상징하는 말로 쓰였음.
* **廷省**: '廷'은 朝廷. '省'은 관청이나 행정부서를 이르던 말로 尙書省, 門下省 등과 같이 쓰였음. '省'은 '反省'과 같이 '살피다'의 뜻도 있으며, '省略'에서처럼 '줄이다, 덜다'의 경우 '생'으로 읽음.

096

耒鋤杼柚 溝畝鄕井
뢰 서 저 유 구 무 향 정

耒(쟁기 뢰: 耒-6)
鋤(호미 서: 金-15)
杼(북 저: 木-8)
柚(유자나무 유: 木-9)
溝(봇도랑 구: 水-13)
畝(이랑 무(묘): 田-10)
鄕(시골 향: 邑-13)
井(우물 정: 二-4)

농기구로 쟁기와 호미, 베를 짜는 데는 북과 꼬챙이가 있고, 도랑과 이랑이 있으며 마을에는 우물이 있다.

* **杼柚**: '杼'는 베틀에서 북(梭). '柚'는 베나 가마니를 짤 때 쓰는 기구. 북을 넣기 위해 세로실(줄)을 벌릴 때 쓰는 나무 막대기라고도 함. 혹 과일 이름일 경우 柚子를 가리킴.
* **溝畝**: '溝'는 경작지에 물을 대기 위한 도랑. 농수로. '畝'는 밭이랑. 혹 '묘'로도 읽음.
* **鄕井**: '鄕'은 옛날 행정 단위. 《論語集注》(雍也)에 "5家를 鄰, 25家를 里, 12,500家를 鄕, 500家를 黨"이라 하였음. '井'은 井田制를 가리키기도 함.

097

刀鋸斧鑿 梓匠陶冶
도 거 부 착 자 장 도 야

刀(칼 도: 刀-2)

鋸(톱 거: 金-16)

斧(도끼 부: 斤-8)

鑿(뚫을, 끌 착: 金-28)

梓(가래나무 재(자): 木-11)

匠(장인 장: 匚-6)

陶(질그릇 도: 阜-11)

冶(불릴 야: 冫-7)

연장으로는 칼, 톱, 도끼와 끌이 있으니, 목수와 장인, 도공(陶工)과 대장장이가 사용하며,

* **鑿**: 끌. 나무를 팔 때 사용하는 기구. 혹 동사로 '파다'의 뜻도 있음.
* **梓**: 나무 이름(가래나무)일 경우 '재'로, 집을 짓는 목수일 경우 '자'로 읽음. 柳宗元 〈梓人傳〉 音注에 '音紫'라 함.
* **陶冶**: '陶'는 陶器工. '冶'는 쇠붙이를 녹이고 다루는 대장장이. 한편 '陶冶'는 '잘 닦고 수양하다'의 뜻도 있음.

098

市路橋津 舟車遷寫
시 로 교 진 주 거 천 사

市(저자 시: 巾-5)
路(길 로: 足-13)
橋(다리 교: 木-16)
津(나루 진: 水-9)
舟(배 주: 舟-6)
車(수레 차(거): 車-7)
遷(옮길 천: 辵-16)
寫(베낄 사: 宀-15)

시장과 도로, 다리, 나루가 있고, 배와 수레가 있어 옮길 수 있다.

* **舟車**: '車'는 '거'와 '차' 두 가지 음이 있음.
* **遷寫**: '遷'은 '옮기다'의 뜻. '寫'는 '徙'와 같은 뜻으로 보임. 同音通假로 사용한 것. 옮겨 감, 옮겨 놓음. 그러나《說文解字》에 "寫, 置物也"라 하여 '물건을 두다'의 뜻이라 하였고,《禮記》(曲禮)에 "御食於君, 君賜餘器之漑者不寫, 其餘皆寫"라 하여 '엎어 놓다'의 뜻이라 하였음.

099

布帛引丈 米粟量斗
포 백 인 장 미 속 량 두

布(베 포: 巾-5)
帛(비단 백: 巾-8)
引(끌 인: 弓-4)
丈(어른 장: 一-3)
米(쌀 미: 米-6)
粟(조 속: 米-12)
量(헤아릴 량: 里-12)
斗(말 두: 斗-4)

베와 비단 같은 옷감은 인(引)과 장(丈)의 길이로 재고, 쌀과 좁쌀 같은 곡물은 들이의 말로 재며,

* **引丈**: 베나 비단 등의 옷감을 펼쳐서 길이를 재어 값을 정함. '引'과 '丈'은 길이의 단위. '1丈'은 보통 10자라 하는데, 중국 周나라에서는 8자를 1장이라 하여 사람 키를 기준으로 한 길이의 단위로 사용함. '引'은 10丈. 《漢書》(律曆志)에 "度者, 分, 寸, 尺, 丈, 引也. 十丈爲引"이라 함.

100

錢幣斤鎰 麤賤把負
전 폐 근 일 추 천 파 부

錢(돈 전: 金-16)
幣(비단 폐: 巾-15)
斤(도끼 근: 斤-4)
鎰(중량 일: 金-18)
麤(거칠 추: 鹿-33)
賤(천할 천: 貝-15)
把(잡을 파: 手-7)
負(짊어질 부: 貝-9)

동전과 화폐는 근(斤)과 일(鎰)로 헤아리고, 거칠고 천한 물건은 묶음이나 등짐으로 계산한다.

* **鎰**: 무게의 단위. 24냥을 1鎰로 한다 함.
* **麤賤**: '麤'는 '粗'와 같음. 거칠고 粗惡한 것. '賤'은 포백, 미속, 전폐 등에 비해 값이 싼 물건들.
* **把負**: '把'는 손아귀로 묶은 묶음을 단위로 함. '負'는 등짐을 단위로 함.

101

飯羹酒肴 綺素錦繡
반 갱 주 효 기 소 금 수

飯(밥 반: 食-13)

羹(국 갱: 羊-19)

酒(술 주: 酉-10)

肴(안주 효: 肉-8)

綺(비단 기: 糸-14)

素(흴 소: 糸-10)

錦(비단 금: 金-16)

繡(수놓을 수: 糸-18)

음식으로는 밥, 국, 술과 안주가 있고, 옷감으로는 기(綺), 소(素), 금(錦), 수(繡) 등의 비단이 있으니,

* **肴**: '餚'와 같음. 안주, 반찬을 뜻함.
* **綺素錦繡**: '綺'는 비단. 綺羅. '素'는 겹. 염색하지 않은 흰색의 비단. 그 때문에 '본디, 희다'의 뜻으로도 쓰임. '錦繡'는 비단에 수를 놓아 아름답게 꾸민 옷감.

102

和味薦羞 樽俎籩豆
화 미 천 수 준 조 변 두

和(화할 화: 口-8)
味(맛 미: 口-8)
薦(천거할 천: 艸-17)
羞(바칠, 부끄러울, 반찬 수 : 羊-11)
樽(술통 준: 木-16)
俎(도마 조: 人-9)
籩(제기 이름 변: 竹-25)
豆(콩 두: 豆-7)

음식은 맛을 조화시켜 올리는 것을 반찬으로 삼으며, 술동이, 상, 대그릇, 식탁을 사용하고,

* **薦羞**: '薦'은 종묘, 제사, 연회, 식사 등에 올림. '羞'는 '饈'의 가차. 반찬, 요리, 음식, 薦物. '羞'는 수치(羞恥)의 뜻도 있음.

* **樽俎籩豆**: '樽'은 술동이, 술통. '俎'는 도마. 혹 제물을 올려놓는 나무 받침대. '籩'은 고대 竹器로써 棗, 桃, 栗, 梅, 蔆, 芡, 脯, 脩, 膴, 鮑, 糗, 餌 등을 담는 기구. 祭祀나 饗宴의 상을 말함. '豆'는 木器로써 역시 마른 음식을 담는 기구나 상. 흔히 '俎豆'는 제사의 예를 의미하는 뜻으로 널리 쓰임. 《論語》(泰伯)에 "籩豆之事, 則有司存"이라 하였고, 《禮記》(樂記)에는 "鋪筵席, 陳尊俎, 列籩豆, 以升降爲禮者, 禮之末節也. 故有司掌之"라 함.

103

表裏綵餙 簪佩巾裳
표 리 채 희 잠 패 건 상

表(겉 표: 衣-8)
裏(속 리: 衣-13)
綵(비단 채: 糸-14)
餙(꾸밀 희: 食-15)
簪(비녀 잠: 竹-18)
佩(찰 패: 人-8)
巾(수건 건: 巾-3)
裳(치마 상: 衣-14)

옷차림은 겉과 속을 채색을 하거나 꾸미기도 하는데, 비녀, 패물, 수건, 치마 등을 착용한다.

* **表裏綵餙**: '裏'는 '裡'와 같음. '綵'는 채색 비단. 여기서는 '彩'의 뜻. '餙'는 '飾'과 같은 뜻.

* **簪佩巾裳**: '佩'는 패물. '珮'와 통용하기도 함. '裳'은 衣裳의 줄인 말. 《千字文》에 "始制文字, 乃服衣裳"이라 함.

104

寢廟屋宅　門庭階堂
침　묘　옥　택　　문　정　계　당

寢(잠잘 침: 宀-14)　門(문 문: 門-8)
廟(사당 묘: 广-15)　庭(뜰 정: 广-10)
屋(집 옥: 尸-9)　階(섬돌 계: 阜-12)
宅(집 택(댁): 宀-6)　堂(집 당: 土-11)

거주하는 집에는 침실과 사당, 가옥과 주택, 그리고 뜰과 계단, 정당이 있다.

* **寢廟**: '寑'은 침실. 제왕은 正寢, 路寢의 구분이 있었음. '廟'는 祠堂, 廟堂. 昭穆(始祖는 중앙에, 二世 이후 짝수 선조는 왼쪽에 배치하며 이를 '昭'라 함. 그리고 三世 이후 홀수의 선조는 오른쪽에 배치하며 이를 '穆'이라 함)의 순서로 위패를 모심. 천자는 七廟(考廟, 王考廟, 皇考廟, 玄考廟와 祖考廟, 文王廟, 武王廟), 제후는 五廟(考廟, 王考廟, 皇考廟, 玄考, 祖考廟), 대부는 三廟(考廟, 王考廟, 皇考廟)를 둘 수 있었음.
* **宅**: '택', '댁' 두 가지 음이 혼용하여 쓰임.
* **階堂**: 階段과 正堂. '堦'는 階의 이체자.

105

房户窓壁 簾帷屛扇
방 호 창 벽 렴 유 병 선

房(방 방: 戶-8)
户(지게 호: 戶-4)
窓(창 창: 穴-11)
壁(벽 벽: 土-16)
簾(발 렴: 竹-19)
帷(휘장 유: 巾-11)
屛(병풍 병: 尸-11)
扇(부채 선: 戶-10)

방, 지게문, 창문, 벽이 있고, 발과 휘장, 병풍과 부채가 있으며,

* **窓**: '窗'의 이체자.
* **帷**: 휘장, 커튼.

枕籠牀席 杖屨几案
침 롱 상 석 장 구 궤 안

枕(베개 침: 木-8) 杖(지팡이 장: 木-7)
籠(대그릇, 바구니 롱: 竹-22) 屨(신 구: 尸-17)
牀(평상 상: 爿-8) 几(안석 궤: 几-2)
席(자리 석: 巾-10) 案(책상 안: 木-10)

베개, 장롱, 침대, 자리, 지팡이, 신발, 궤(几)와 책상이 있으며,

* **枕籠牀席**: '枕'은 베개. 《論語》(述而)에 "子曰:「飯疏食飮水, 曲肱而枕之, 樂亦在其中矣. 不義而富且貴, 於我如浮雲.」"이라 함. '籠'은 바구니, 혹 장롱. 옷 등을 갈무리하는 농. '牀'은 '床'과 같음. 침상, 침대.
* **杖屨几案**: '屨'는 신. 靴, 鞋, 履 등 여러 가지가 있음. '几'는 팔걸이, 혹 양 곁에 두고 간단한 물건을 올려놓을 수 있도록 한 나무 상자. '机'와 같음. '案'은 册床, 案床.

107

編策琴瑟 紙墨筆硯
편 책 금 슬 지 묵 필 연

編(엮을 편: 糸-15)
策(채찍, 간책 책: 竹-12)
琴(거문고 금: 玉-12)
瑟(큰 거문고 슬: 玉-13)
紙(종이 지: 糸-10)
墨(먹 묵: 土-15)
筆(붓 필: 竹-12)
硯(벼루 연: 石-12)

묶은 책, 간책(簡策)에 가야금과 거문고, 그리고 종이, 먹, 붓, 벼루도 있고,

* **編策琴瑟**: '編'은 실로 묶은 책. '策'은 木簡이나 竹簡 등의 簡策. 孔子는《周易》을 꿰었던 가죽끈(韋編)이 3번이나 끊어졌다는 '韋編三絶'의 고사를 남겼음. '琴瑟'은 가야금, 거문고 등의 큰 현악기. 혹 부부의 정을 뜻하는 말로도 쓰임.
* **紙墨筆硯**: 이 넷을 흔히 '文房四友', '文房四寶', '文房四士'라고 함. 宋 陸游의 〈文房四士〉 시에 "水複山重客到稀, 文房四士獨相依"라 함.

杯盤鍾鼎 杵臼針線
배 반 종 정 저 구 침 선

杯(잔 배: 木-8)
盤(소반 반: 皿-15)
鍾(종지, 모을 종: 金-17)
鼎(솥 정: 鼎-13)
杵(공이 저: 木-8)
臼(절구, 확 구: 臼-6)
針(바늘 침: 金-10)
線(줄 선: 糸-15)

술잔과 쟁반, 종지와 솥, 절굿공이, 확, 바늘과 실도 있으며,

* **杯盤鍾鼎**: '杯盤'은 '盃盤'으로도 표기하며 술잔과 쟁반. 흔히 잔치나 술상을 뜻함. 蘇東坡 〈赤壁賦〉에 "肴核旣盡, 盃盤狼藉"라 함. '鍾鼎'은 고대 청동기로 만들어 조상의 제사, 잔치 등에 禮器로 쓰였음. 혹 무덤에 넣으면서 그 속에 전서(篆書)로 글씨를 새겨 넣어 문자학에서 이를 연구하는 학문을 鍾鼎文이라 함. 한편 '鍾'은 그릇 종류이며, '鐘'은 쇠북을 뜻하는 것으로 서로 다른 글자임. '鼎'은 三足兩耳의 형태이며, 특히 三足은 안정감이 있어 鼎立의 뜻으로도 넓혀짐.
* **杵臼針線**: '臼'는 방아의 돌확. '針'은 鍼, '線'은 綫과 같음. '針線'은 바느질에 쓰이는 각종 도구나 '바느질하다'의 뜻임.

109

弓劒鞍輪 釣網射馳
궁 검 안 륜 조 망 사 치

弓(활 궁: 弓-3)
劒(칼 검: 刀-16)
鞍(안장 안: 革-15)
輪(바퀴 륜: 車-15)
釣(낚시 조: 金-11)
網(그물 망: 糸-14)
射(쏠 사: 寸-10)
馳(달릴 치: 馬-13)

활, 검, 안장, 수레바퀴에 낚싯바늘이 있어 그물을 치고 활쏘기와 말달리기도 할 수 있다.

* **劒**: '劍'의 이체자.
* **射馳**: '射'는 활쏘기. '馳'는 말달리기.

110

醫藥愈疾 卜筭決疑
의 약 유 질 복 산 결 의

醫(의원 의: 酉-18)
藥(약 약: 艸-19)
愈(나을 유: 心-13)
疾(병 질: 疒-10)
卜(점 복: 卜-2)
筭(산가지 산: 竹-13)
決(결단할 결: 冫-6)
疑(의심할 의: 疋-14)

의약은 질환을 낫게 하며, 점치기로는 의혹을 결정하기도 한다.

* **愈疾**: 질환을 낫게 함. '愈'는 '癒'와 같음.
* **卜筭**: '卜'은 점치기, '卜'은 거북점. '筭'은 '算'과 같으며 산가지로 점을 치거나 계산해 보는 것.
* **決疑**: '決'은 '決'과 같으며, 미래에 대한 의심을 미리 점을 쳐서 결정함. 《周易》(蒙卦 卦辭) "初筮告, 再三瀆"의 〈正義〉에 "筮者, 決疑之物"이라 함.

111

律呂協音 簫磬歌舞
률 려 협 음 소 경 가 무

律(법 률: 彳-9)
呂(음률 려: 口-6)
協(맞을 협: 十-8)
音(소리 음: 音-9)
簫(퉁소 소: 竹-18)
磬(경쇠 경: 石-16)
歌(노래 가: 欠-14)
舞(춤출 무: 舛-14)

율려(律呂)는 음을 조율하고, 퉁소와 편경은 음악과 춤을 이루며,

* **律呂**: 원래 악률(樂律)의 음계를 조절하는 기구로 대나무나 금속관으로 만들었으며 모두 12개. 그 구멍의 크기에 따라 음의 고도를 정하여 다른 악기의 음가를 조율하는 것. 그중 홀수 6개를 '률(律)', 짝수 6개를 '려(呂)'라 하며 이를 합하여 '율려'라 함. 이를 12달과 배합하여《呂氏春秋》(音律)에는 황종(黃鐘), 대려(大呂), 태주(太簇), 협종(夾鐘), 고선(姑洗), 중려(仲呂), 유빈(蕤賓), 林鐘(임종), 이칙(夷則), 남려(南呂), 무역(無射), 응종(應鐘)이라 하였음. 한편 동짓날 바람이 통하지 않는 밀실에서 갈대 껍질을 태운 재로 六律에 맞게 대롱을 책상에 올려놓은 다음 어느 律에 재가 흩날리는가를 보고 절기를 예측했다 함.《漢書》(律曆志) 참조.《幼學瓊林》에 "冬至到而葭灰飛, 立秋至而梧葉落"이라 함.
* **磬**: 돌에 구멍을 뚫어 나란히 매어 두드려 음을 내는 악기. 編磬. 石磬, 玉磬이 있음.

112

兵革去害 干戈旗鼓

병 혁 거 해 간 과 기 고

兵(군사 병: 八-7)
革(가죽 혁: 革-9)
去(갈 거: 厶-5)
害(해칠 해: 宀-10)
干(방패 간: 干-3)
戈(창 과: 戈-4)
旗(깃발 기: 方-14)
鼓(북 고: 鼓-13)

무기는 해(害)를 제거하는 것으로, 방패, 창, 깃발, 북이 사용된다.

* **兵革**: '兵'은 무기. '革'은 가죽으로 만든 방어용 무기를 뜻함.

* **干戈旗鼓**: '干戈'는 방패와 창. 무기를 총칭하는 말이며 전쟁, 전투의 의미로도 쓰임. '鼓'는 본 책에 유일하게 중복되었음. 017 "風鼓雷震"을 참조할 것.

113

臺池煙霞 樓觀遊登
대 지 연 하 루 관 유 등

臺(돈대 대: 至-14)
池(못 지: 水-6)
煙(연기 연: 火-13)
霞(놀 하: 雨-17)
樓(다락 루: 木-15)
觀(볼 관: 見-25)
遊(놀 유: 辵-13)
登(오를 등: 癶-12)

누대와 연못의 내와 놀, 누각과 대관은 구경하러 오를 만하지만,

* **臺池煙霞**: '臺池'는 누대와 호수. '煙'은 '烟'의 이체자. 열은 안개, 내. '霞'는 놀.
* **樓觀遊登**: '樓'는 2층 이상의 다락이 있는 누각, 누대. '觀'은 밖을 조망할 수 있도록 한 건물.

114

每須節儉 巨細稱停
매 수 절 검 거 세 칭 정

每(매양 매: 毋-7)
須(모름지기 수: 頁-12)
節(마디 절: 竹-15)
儉(검소할 검: 人-15)
巨(클 거: 工-5)
細(가늘 세: 糸-11)
稱(일컬을 칭: 禾-14)
停(머무를 정: 人-11)

그러나 매번 모름지기 절약하고 검소히 하여, 거대한 것, 미세한 것 모두가 그에 맞을 때 그쳐야 한다.

* **巨細稱停**: '巨細'는 대등 구조. '稱停'은 그에 맞추어 멈출 때 멈추어야 함.

115

彌綸配贊　德卲功達
미 륜 배 찬　덕 소 공 달

彌(두루 미: 弓-17)
綸(낚싯줄 륜: 糸-14)
配(짝 배: 酉-10)
贊(도울 찬: 貝-19)
德(덕 덕: 彳-15)
卲(높을 소: 卩-7)
功(공 공: 力-5)
達(통달할 달: 辵-13)

천지의 도를 포괄하여 짝을 이루도록 도와주며, 덕이 높고 공은 통달하도록 하여,

* **彌綸配贊**: '彌綸'은 천지의 도를 두루 포괄함. 《周易》(繫辭上)에 "《易》與天地準, 故能彌綸天地之道"라 하였고, 高亨의 注에 "彌, 遍也"라 함. 《集解》에는 虞翻의 말을 인용하여 "綸, 絡也. '彌綸'卽普遍包絡. 此二句言《易經》所講之道與天地齊等, 普遍包絡天地之道"라 함. 《朱子語類》(98)에는 "彌綸天地, 該括古今"이라 함. '配贊'은 짝을 이루어 서로 도와줌.
* **德卲功達**: '卲'는 '높다'의 뜻.

116

膏溢光被 來裔頌述
고 일 광 피 래 예 송 술

膏(기름 고: 肉-14)
溢(넘칠 일: 水-13)
光(빛 광: 儿-6)
被(이불 피: 衣-10)
來(올 래: 人-8)
裔(후손 예: 衣-13)
頌(기릴 송: 頁-13)
述(지을 술: 辵-9)

남에게 주는 그 혜택의 기름은 넘쳐나고 영광이 널리 입혀지면, 다가올 후손들이 칭송하여 기록해 줄 것이며,

* **膏溢光被**: '膏'는 굳기름. 백성이나 남에게 주는 혜택을 뜻함. '溢'은 '넘치다'의 뜻. '光被'는 그 영광이 남에게 입혀짐.
* **來裔頌述**: '來裔'는 다음에 다가올 먼 후손. '頌述'은 그 업적을 노래로 칭송하고 글로 기술함.

117

福祿膺昌 保佑休申
복 록 응 창 보 우 휴 신

福(복 복: 示-14)
祿(복 록: 示-13)
膺(가슴 응: 肉-17)
昌(창성할 창: 日-8)

保(지킬 보: 人-9)
佑(도울 우: 人-7)
休(쉴, 아름다울 휴: 人-6)
申(납, 잔나비 신: 田-5)

복록은 의당 창성하게 받을 것이며, 하늘의 보살핌과 도움이 아름답게 펼쳐질 것이다.

* **膺**: 보답으로 받음.
* **休申**: '休'는 '아름답다'의 뜻. 원의는 '쉬다'의 의미. '申'은 '伸'과 같음. 펼쳐짐. 혹은 '알려 주다'의 뜻이기도 함. 明 沈彬의 〈聖節擬進賀〉 시에 "一氣陽來復, 含靈已兆春. 帝心謹齋祓, 天命用休申"이라 함.

118

孰盡此道 蓋古聖賢
숙 진 차 도 개 고 성 현

孰(누구 숙: 子-11)	蓋(덮을 개: 艸-14)
盡(다할 진: 皿-14)	古(옛 고: 口-5)
此(이 차: 止-6)	聖(성스러울 성: 耳-13)
道(길 도: 辵-13)	賢(어질 현: 貝-15)

누가 이러한 도를 곡진히 다하였는가? 아마도 옛 성현들일 것이다.

* **孰盡此道**: '孰'은 누구. '誰'와 같은 뜻. '此'는 玆, 是, 斯와 같으며 모두 지시대명사 '이, 이것'의 뜻.
* **蓋古聖賢**: '蓋'는 '盖'로도 표기하며, 부사 '대체로, 아마도'의 뜻. 혹 '덮다, 뚜껑, 마개' 등의 뜻도 있음.

堯舜啓統 授禹及湯
요 순 계 통 수 우 급 탕

堯(요임금 요: 土-12)
舜(순임금 순: 舛-12)
啓(열 계: 口-11)
統(큰 줄기 통: 糸-12)
授(줄 수: 手-11)
禹(우임금 우: 禸-9)
及(미칠 급: 又-4)
湯(끓을 탕: 水-12)

요(堯)와 순(舜) 두 임금이 왕통을 열어, 이를 우(禹)와 탕(湯)에게 물려주었고,

* **堯**: 전설상 上古시대 五帝의 하나. 陶唐氏. 唐堯로도 부름. 祁姓이며 이름은 放勳. 帝嚳의 아들. 《十八史略》(1)에 "帝堯陶唐氏: 伊祁姓, 或曰名放勛, 帝嚳子也. 其仁如天, 其知如神, 就之如日, 望之如雲, 都平陽. 茆茨不剪, 土階三等. 有草生庭, 十五日以前, 日生一葉, 以後日落一葉, 月小盡, 則一葉厭而不落, 名曰蓂莢, 觀之以知旬朔"이라 함. 《史記》 五帝本紀를 볼 것.
* **舜**: 역시 五帝의 하나. 有虞氏. 姓은 姒氏, 이름은 重華. 虞舜으로도 부름. 堯임금으로부터 천하를 물려받아 帝位에 오름. 瞽瞍의 아들로 孝誠이 뛰어났던 분으로 널리 알려져 있으며 儒家에서 聖人으로 추앙함. 《十八史略》(1)에 "帝舜有虞氏: 姚姓, 或曰名重華, 瞽瞍之子, 顓頊六世孫也. 父惑於後妻, 愛少子象, 常欲殺舜. 舜盡孝悌之道, 烝烝乂不格姦"이라 함. 이에 요순은 흔히 나라 이름을 따서 '唐堯', '虞舜'이라 하며 그 시대를 '唐虞'라 함.

* **禹**: 中國 최초의 왕조 夏나라의 시조. 夏后氏 부락의 領袖였으며 姒姓. 大禹, 夏禹 등으로도 불리며 이름은 文命. 鯀의 아들. 鯀이 물을 막는 방법으로 治水에 실패하여 죽임을 당한 뒤 禹는 물을 소통시키는 방법으로 성공을 거둔 다음 舜임금으로부터 천하를 물려받아 夏王朝를 세움. 뒤에 천하를 순시하다가 會稽에서 생을 마침. 그는 益에게 천하를 물려주려 하였으나 아들 啓의 무리가 난을 일으켜 益을 몰아내고 世襲王朝를 시작함. 이로부터 禪讓(公天下)의 제도가 마감되고 世襲(家天下)의 역사가 시작됨. 이를 "傳子而不傳賢"이라 함.《史記》에서는 〈五帝本紀〉 다음 첫 왕조로 〈夏本紀〉가 시작됨.《十八史略》(1)에 "夏后氏禹: 姒姓, 或曰名文命, 鯀之子, 顓頊孫也. 鯀湮洪水, 舜擧禹代鯀, 勞身焦思, 居外十三年, 過家門不入"이라 함.
* **湯**: 원래 夏나라 때의 諸侯. 박(亳)을 근거로 발전하여 夏나라 末王 桀의 무도함을 제거하고 伊尹을 등용하여 殷(商)을 세운 개국군주. 儒家에서 聖人으로 받듦.《史記》(殷本紀)를 참조할 것.《十八史略》(1)에는 "殷王成湯: 子姓, 名履. 其先曰契, 帝嚳子也. 母簡狄, 有娀氏女, 見玄鳥墮卵呑之, 生契. 爲唐虞司徒, 封於商, 賜姓"이라 함.

120

歷文武周 至孔甚彰
력 문 무 주 지 공 심 창

歷(지낼 력: 止-16)
文(글월 문: 文-4)
武(굳셀 무: 止-8)
周(두루 주: 口-8)

至(이를 지: 至-6)
孔(구멍 공: 子-4)
甚(심할 심: 甘-9)
彰(밝을 창: 彡-14)

문왕(文王)과 무왕(武王)의 주(周)나라를 거쳐, 공자(孔子)에 이르러 아주 크게 빛이 났다.

* **文武**: 周나라의 文王과 武王. '文王'은 周나라 건국의 聖王. 姬昌. 后稷(姬棄)의 후손으로 季歷의 아들이며 古公亶甫의 손자. 商나라 말 紂임금 때 西伯이 되어 인정을 베풀었으며 紂의 미움을 받아 羑里(牖里, 지금의 河南 湯陰縣)의 감옥에 갇히는 등 고초를 겪기도 하였음. 그 아들 武王(姬發)에 이르러 紂를 牧野에서 멸하고 周나라를 일으킴. 《史記》(周本紀) 참조. '武王'은 姬發. 古公亶父의 曾孫이며, 季歷의 손자, 文王(姬昌, 西伯)의 아들. 殷末 周民族의 領袖. 아버지의 뜻을 이어 庸, 蜀, 羌 등 부족과 연합하여 殷의 紂를 멸하고 西周의 封建王朝를 건립함. 周公(姬旦)의 형이며 成王(姬誦)의 아버지. 周初의 文物制度를 완비하여 儒家에서 흔히 三代의 개국시조 夏禹, 商湯, 周文武로 칭하며 추앙하기도 함. 그는 殷紂를 멸한 뒤, 고공단보를 太公(太王)으로, 계력을 王季로, 희창을 文王으로 추존함.

* **至孔甚彰**: '孔'은 孔子. 春秋 말의 聖人. 자는 仲尼. 魯나라 曲阜에서 郰邑의 대부 叔梁紇과 어린 顔徵在 사이에 태어났으며, 한때 노나라 大司寇에 오르기도 하였으나, 천하를 주유하며 무너진 禮를 다시 세우고자 노력함. 고국으로 돌아와 六經을 찬수하고 강학에 힘써 제자들이 3천에 이르렀음. 그의 어록과 언행을 제자들이 기록한《論語》가 전해져 후대에 큰 영향을 미쳤으며, 중국 유가의 성인으로 추앙됨. 司馬遷은《史記》에 〈孔子世家〉를 기술하여 그 사상을 높이 평가하고 있음.

121

淵浩濯暴 卓乎儒宗
연 호 탁 폭 탁 호 유 종

淵(큰못 연: 水-11)
浩(넓을 호: 水-10)
濯(씻을 탁: 水-17)
暴(사나울 폭, 포악할 포, 햇볕 쬘 폭: 日-15)
卓(높을 탁: 十-8)
乎(어조사 호: 丿-5)
儒(선비 유: 人-16)
宗(마루 종: 宀-8)

공자의 학문은 깊고 넓으며 세탁하고 볕에 말렸으니, 우뚝하도다, 그 유학(儒學)의 종지(宗旨)여.

* **淵浩濯暴**: '淵浩'는 깊고도 넓음. '暴'은 '폭', '포' 두 가지 음이 있으며 '드러나다, 포악하다, 폭력' 등의 뜻이 있음. '濯暴'은 씻어서 볕에 말림. 《孟子》(滕文公 上)에 "曾子曰:「不可. 江漢以濯之, 秋陽以暴之, 皜皜乎不可尙已.」", 趙岐注에 "曾子不肯, 以爲聖人之潔白, 如濯之江漢, 暴之秋陽. 秋陽, 周之秋, 夏五六月, 盛陽也"라 함. 즉 공자가 죽고 3년이 지나자 문인들이 흩어졌지만 자공만은 공자 무덤 곁에서 홀로 3년을 더 거처함. 뒷날 子夏, 子張, 子游가 有若이 공자를 닮았다고 하여 공자 섬기던 바로써 그를 섬기려 하자 曾子가 "안 된다. 江水나 漢水로 씻고 가을볕에 말린 것 같으신 공자는 희고 희어 그에 더할 수 있는 것이 없다"라 하면서 반대한 것임.
* **卓乎儒宗**: '儒宗'은 유학의 宗旨. 堯, 舜, 禹, 湯, 文王, 武王, 周公, 孔子를 유가의 정통 8대 성인이라 하였고, 그 아래로 曾子, 子思(孔伋), 孟子, 荀子로 이어짐.

顏曾薰炙 思孟衛崇
안 증 훈 자 사 맹 위 숭

顏(얼굴 안: 頁-18) 思(생각할 사: 心-9)
曾(일찍이 증: 曰-12) 孟(맏 맹: 子-8)
薰(향풀 훈: 艸-18) 衛(지킬 위: 行-16)
炙(고기 구울 자: 火-8) 崇(높을 숭: 山-11)

안회(顏回)와 증자(曾子)가 이에 훈도를 받았고, 자사(子思)와 맹자(孟子)가 그 높은 사상을 보위하였다.

* **顏**: 顏子. 顏回, 자는 子淵. 魯나라 출신으로 孔子가 가장 아꼈던 弟子. 孔子보다 30세 아래였음. 毛奇齡의 고증에 의하면 그는 B.C. 511~480년으로 孔子보다 40세 아래였다 함. 《史記》(仲尼弟子列傳)에는 "顏回者, 魯人也, 字子淵. 少孔子三十歲. …回也如愚: 退而省其私, 亦足以發, 回也不愚.」"라 하였고, 《孔子家語》(七十二弟子解)에는 "顏回, 魯人, 字子淵, 年二十九而髮白, 三十一早死. 孔子曰: 「自吾有回, 門人日益親.」回之德行著名, 孔子稱其仁焉"이라 함.
* **曾**: 曾子. 曾參. 字는 子輿(B.C. 505~435). 曾晳의 아들이며 공자의 제자. 武城 사람으로 공자보다 46세 아래. 孝로써 이름이 났음. 《史記》(仲尼弟子列傳)에 "曾參, 南武城人, 字子輿. 少孔子四十六歲. 孔子以爲能通孝道, 故授之業. 作《孝經》. 死於魯"라 하였으며, 《孔子家語》에는 "曾參, 南武城人, 字子輿, 少孔子四十六歲. 志存孝道, 故孔子因之以作《孝經》, 齊嘗聘, 欲與爲卿而不就, 曰: 「吾

父母老, 食人之祿, 則憂人之事, 故吾不忍遠親而爲人役.」參後母遇之無恩, 而供養不衰, 及其妻以藜烝不熟, 因出之. 人曰:「非七出也.」參曰:「藜烝, 小物耳, 吾欲使熟而不用吾命, 況大事乎?」遂出之, 終身不取妻, 其子元請焉, 告其子曰:「高宗以後妻殺孝己, 尹吉甫以後妻放伯奇, 吾上不及高宗, 中不比吉甫, 庸知其得免於非乎?」"라 함.

* **薰炙**: 薰陶를 받음. 아주 큰 영향을 받아 훌륭하게 됨을 뜻함. '薰'은 '향내를 배게 하다'의 뜻이며, '炙'는 '고기를 굽다'의 뜻.
* **思**: 子思. 孔伋. 공자의 손자. 공자의 아들이 孔鯉(伯魚)이며 공리의 아들이 孔伋이었음. 子思는 그의 字. 曾子에게 배웠으며, 다시 자사의 제자에게 맹자가 배워 유학의 학통을 이어간 것임. 자사는《禮記》의〈中庸〉篇 등을 지은 것으로 알려져 있음.
* **孟**: 孟子. 전국시대 鄒邑 출신으로 이름은 軻(B.C. 372~289). 자는 子輿. 子思의 문인에게 수업하였으며 儒家에서 亞聖으로 불림. 孔子의 사상을 이어받아 性善說, 仁政, 王道政治를 주창하였음.《孟子》7편을 저술하였으며 宋代 十三經에 列入되었고 朱子(朱熹)에 의해 四書에 들게 되었음.《史記》(孟子列傳) 참조.
* **衛崇**: 공자의 숭고한 사상을 보위(保衛)함. 맹자가 활동하던 전국시대에는 楊朱(爲我派)와 墨翟(兼愛派)의 사상이 지나치게 휩쓸어, 儒學이 위기에 몰렸으므로 이렇게 표현한 것임.

123

榛蕪千年 濂翁尋蹤
진 무 천 년 렴 옹 심 종

榛(개암나무 진: 木-14)
蕪(거칠어질 무: 艸-16)
千(일천 천: 十-3)
年(해 년: 干-6)
濂(물 이름 렴: 水-16)
翁(늙은이 옹: 羽-10)
尋(찾을 심: 寸-12)
蹤(자취 종: 足-18)

개암나무가 덮인 채 황무하게 천 년이 지나, 염계(濂溪) 주돈이가 그 종적을 찾아 나섰고,

* **榛蕪千年**: '榛蕪'는 '개암나무가 덮여 황무해지다'의 뜻. '榛'은 개암나무이며, 흔히 홍성했던 터에 제일 먼저 이 나무가 뒤덮여 '황폐해지다, 폐허가 되다, 인몰되다' 등의 뜻으로 쓰임. '千年'은 秦始皇의 焚書坑儒로부터 濂溪의 宋代에 이르기까지의 긴 기간을 뜻함.
* **濂翁尋蹤**: '濂翁'은 北宋의 理學者 濂溪 周敦頤(1017~1073)를 가리킴. 자는 茂叔. 道州 사람으로 시호는 元公. 道州의 營道 濂溪 근처에 살아 호를 濂溪先生이라 하였음. 저술로 〈太極圖說〉과 《通書》 등이 있음. 北宋 理學 四派, 즉 濂溪學派(周敦頤), 百源學派(邵雍), 關學派(張載), 洛學派(程顥, 程頤)의 하나를 이루었으며 송대 유학을 다시 일으킴. '尋蹤'은 잃었던 유학의 종적을 찾음. '蹤'은 '踪'과 같음.

洛關秉燭 考亭誕終
락 관 병 촉 고 정 탄 종

洛(강 이름 락: 水-9)
關(빗장 관: 門-19)
秉(잡을 병: 禾-8)
燭(촛불 촉: 火-17)
考(상고할 고: 老-6)
亭(정자 정: 亠-9)
誕(태어날 탄: 言-14)
終(끝날 종: 糸-11)

낙학파(洛學派) 이정(二程)과 관학파(關學派) 장재(張載)가 촛불을 잡았고, 남송 고정선생(考亭先生) 주희(朱熹)가 탄생하여 마무리를 지었다.

* **洛**: 북송 洛學派 程顥와 程頤 두 사람을 가리킴. 程顥(1032~1085)는 자는 伯淳이며 明道先生이라 부름. 저서로는《識仁篇》과《定性》등이 있으며 아우 伊川(程頤)과 구분하여 大程子라 하며 두 사람을 합해 二程이라 부름. 程頤(1033~1107)는 자는 正叔, 廣平先生이라 불렸으나 이천(伊川, 지금의 洛陽 남쪽)에 살아 흔히 伊川先生이라 불렸음. 그의 형 程顥(明道先生)와 더불어 北宋 理學 四派 중 하나인 洛學派의 대표적인 인물이며 小程子로 불림. 이들의 저술과 어록을 묶은《二程集》이 있음. 그 학통이 南宋 閩學派(朱熹)로 이어진 것임.
* **關**: 역시 북송 이학의 대가 張載(1020~1077)를 가리킴. 자는 子厚, 關中 鳳翔府의 郿縣 橫渠鎭에 살아 橫渠先生이라 부름. 저서로는《正蒙》,《東銘》,《西銘》,《理窟》등이 있으며 北宋 理學 四派 중 關學派를 이루었음.

* **秉燭**: 촛불을 잡고 밤에도 활동함. 〈古詩十九首〉에 "生年不滿百, 常懷千歲憂. 晝短苦夜長, 何不秉燭遊?"라 함.

* **考亭誕終**: '考亭'은 朱熹를 가리킴. 朱熹(1130~1200)는 南宋 때 徽州 무원(婺源) 사람으로 建陽의 考亭에 옮겨 살아 考亭先生이라 불렀음. 자는 元晦, 혹은 仲晦이며 호는 晦庵, 晦翁, 遯翁, 滄洲病叟 등이었으나, 별칭으로는 紫陽先生, 考亭先生, 雲谷老人 등으로 불렀음. 朱松의 아들로 高宗 紹興 18년(1148)에 진사에 올라 同安主簿라는 벼슬을 하였으며, 孝宗 淳熙 연간에 知南康軍이 되었다가 浙東茶鹽公事에 오르기도 하였음. 당시 절동 지역에 큰 기근이 들자 救荒을 서두르며 정치의 폐단을 주장하기도 하였으나, 慶元 2년 귀향하여 경원 6년(1200)에 생을 마쳤으며, 시호는 文公. 그는 李侗에게 수학하여 이정(程顥, 程頤)의 학문을 전수하는 것을 목표를 삼고, 아울러 周敦頤, 張載 등의 학설을 모아 북송 이래 이학을 집대성하기에 이르렀음. 그리하여 白鹿洞書院, 岳麓書院, 武夷精舍 등에서 50여 년간 講學에 힘써 閩學派, 혹은 考亭學派, 朱子學이라는 남송 최대 이학의 한 파를 이루었으며, 이정의 학문을 실현시켰다 하여, 程朱學이라고도 불림. 그의 학문은 한때 韓侂冑 등으로부터 僞學으로 배척을 받기도 하였으나, 역시 漢代 이래 최고의 학자로 지금까지 널리 칭송을 받고 있음. 저서로는《四書章句集註》,《名臣言行錄》,《伊洛淵源錄》,《資治通鑑綱目》,《詩集傳》,《楚辭集註》,《小學》등이 있으며, 후인이 편집한《朱子語類》,《朱文公文集》등이 있음. 그의 사적은《勉齋集》(36) 行狀과《宋史》(429. 道學傳)에 자세히 실려 있음. 그의 사상은 특히 우리나라 조선의 건국에 큰 영향을 미쳤고, 조선 시대 가장 널리 숭앙을 받기도 하였음.

125

潮呑的貫　梳洗集完
조 탄 적 관　　소 세 집 완

潮(조수 조: 水-15)　　梳(빗 소: 木-11)
呑(삼킬 탄: 口-7)　　洗(씻을 세: 水-9)
的(과녁 적: 白-8)　　集(모일 집: 隹-12)
貫(꿸 관: 貝-11)　　完(완전할 완: 宀-7)

주희의 학문 조류는 과녁을 삼키고 모두를 꿰어, 빗으로 빗고 물로 씻듯이 집대성하여 완성하기에 이르렀다.

* **潮呑的貫**: '潮'는 朱熹 학문의 風潮, 潮流, 學風. '呑'은 삼킴. '的'은 과녁. '貫'은 꿸, 꿰뚫음. '的貫'은 '貫的'과 같음. 학문이 淵博하였음을 칭송한 것임. 《論語》(里仁)에 "子曰:「參乎! 吾道一以貫之.」 曾子曰:「唯.」 子出, 門人問曰:「何謂也?」 曾子曰:「夫子之道, 忠恕而已矣.」"라 함.
* **梳洗集完**: '梳洗'는 헝클어진 머리카락을 빗질하여 펴듯, 때 묻은 것을 씻어 깨끗이 하듯 유학을 정리하여 集大成을 이룸. 海公이 주희의 학문을 높이 여겨 표현한 말.

126

青丘栗谷 其殆適傳
청 구 률 곡 기 태 적 전

青(푸를 청: 靑-8)
丘(언덕 구: 一-5)
栗(밤나무 률: 木-10)
谷(골 곡: 谷-7)
其(그 기: 八-8)
殆(위태할 태: 歹-9)
適(갈 적: 辵-15)
傳(전할 전: 人-13)

우리나라에는 율곡(栗谷)이 나타나, 그것을 거의 맞추어 전술하였으니,

* **青丘**: 우리나라를 일컫는 말. '青'은 五行의 東方 青色. '丘'는 언덕, 땅. 《山海經》(海外東經)에 "青丘國在其北, 其人食五穀, 衣絲帛. 其狐四足九尾"라 하였고, 《三國史記》와 《三國遺事》에도 이미 우리나라를 이르는 말로 사용하였음. 그 외 조선 시대에도 金宗直의 《青丘風雅》, 金天澤의 《青丘永言》, 金正浩의 《青丘圖》 등이 있어 '青丘'는 우리나라를 일컫는 말로 널리 쓰였음.
* **栗谷**: 이이(李珥: 음력 1536년 12월 26일~1584년 1월 16일). 강릉 오죽헌에서 아버지 이원수와 어머니 평산신씨 사임당 사이에서 셋째로 태어남. 조선 시대 문신이며 성리학자. 본관은 德水. 자는 叔獻, '所處爲號'에 따라 어릴 때 坡州 栗谷에서 자라 지명이 호가 된 것임. 시호는 文成. 西人의 영수로 추대되었으며 이언적, 이황, 송시열, 박세채, 김집과 함께 문묘종사와 종묘배향을 동시에 이룬 조선 六賢의 하나. 아홉 차례의 과거에 장원급제하여 '九度壯元公'이라는 별칭을 얻었으며 성리학에서의 理氣一元論을 주장하였음. 저서로는 《擊蒙要訣》, 《聖學輯要》, 《箕子實記》 등이 있고, 그의 글을 모은 《栗谷集》이 있음. 파주에

사당 文成祠가 있었으며 孝宗이 紫雲書院이라 사액을 내려 이름이 바뀜. 海公이 조선 유학에서 栗谷을 높이 여긴 것은 집안이 畿湖學派였기 때문으로 보임.

* **其殆適傳**: '殆'는 부사 '거의'의 뜻. '適傳'은 그에 의해 동방의 靑丘에 유학이 바르게 전해졌음을 말함.

127

學術伊何 必主誠敬

학 술 이 하 필 주 성 경

學(배울 학: 子-16) 必(반드시 필: 心-5)
術(꾀 술: 行-11) 主(주인 주: 丶-5)
伊(저 이: 人-6) 誠(정성 성: 言-14)
何(어찌 하: 人-7) 敬(공경할 경: 攴-13)

그의 학술은 어떠하였던고? 반드시 성(誠)과 경(敬)을 주로 삼았으며,

* **學術伊何**: '伊何'는 如何와 같음.

* **必主誠敬**: '誠敬'은 유학의 여러 덕목 중에 특히 '誠'과 '敬'을 중시하였음을 말함. '誠'은 《中庸》(20)에 "誠者, 天之道也: 誠之者, 人之道也. 誠者, 不勉而中, 不思而得, 從容中道, 聖人也: 誠之者, 擇善而固執之者也"라 하였고, '敬'은 《禮記》(曲禮) 첫머리에 "毋不敬, 儼若思, 安定辭. 安民哉!"라 함. 朱熹의 학문 역시 "其爲學, 大抵窮理以致其知, 反躬以踐其實, 而以居敬爲主"(《宋史》朱熹傳)라 하여 율곡이 이를 중시하여 실천을 강조하였음을 말한 것임.

128

格致洞豁　直踐平正
격 치 통 활　직 천 평 정

格(바로잡을 격: 木-10)	**直**(곧을 직: 目-8)
致(이를 치: 至-10)	**踐**(밟을 천: 足-15)
洞(골 동, 밝을 통: 水-9)	**平**(평평할 평: 干-5)
豁(뚫린 골 활: 谷-17)	**正**(바를 정: 止-5)

격물(格物)과 치지(致知)에 훤히 트여, 공평과 정의를 곧게 실천하는 것이었으며,

* **格致洞豁**: '格致'는 八條目의 '格物', '致知', '誠意', '正心', '修身', '齊家', '治國', '平天下'에서의 '格物'과 '致知'를 말함. 《大學》 제1장에 자세히 설명하고 있음. '洞'은 '밝다, 훤히'의 의미일 경우 '통'으로 읽으며, '구멍', '동리'일 경우 '동'으로 읽음.
* **直踐平正**: '直踐'은 곧게(정직하게) 실천함.

129

審愼勇敏 廉謹謙戒
심 신 용 민 렴 근 겸 계

審(살필 심: 宀-15)
愼(삼갈 신: 心-13)
勇(날쌜 용: 力-9)
敏(재빠를 민: 攴-11)
廉(청렴할 렴: 广-13)
謹(삼갈 근: 言-18)
謙(겸손할 겸: 言-17)
戒(경계할 계: 戈-7)

심문(審問)과 신사(愼思)에, 염치와 삼감, 겸손과 경계였으며,

* **審愼**: '審問'과 '愼思'. 《中庸》(20)에 "博學之, 審問之, 愼思之, 明辨之, 篤行之"라 함.
* **勇敏**: 《中庸》(20)에 "知仁勇三者, 天下之達德也"라 하였고, 《論語》(陽貨)에 "子路曰: 「君子尙勇乎?」 子曰: 「君子義以爲上, 君子有勇而無義爲亂, 小人有勇而無義爲盜.」"라 하였고, 〈學而〉篇에는 "子曰: 「君子食無求飽, 居無求安, 敏於事而愼於言, 就有道而正焉, 可謂好學也已.」"라 함.

130

改過矯病 庸權弘毅
개 과 교 병 용 권 홍 의

改(고칠 개: 攴-7)
過(지날, 허물 과: 辵-13)
矯(바로잡을 교: 矢-17)
病(병 병: 疒-10)
庸(쓸, 떳떳할 용: 广-11)
權(저울추 권: 木-22)
弘(넓을 홍: 弓-5)
毅(굳셀 의: 殳-15)

허물은 고치고 병폐는 바로잡는 것이며, 권세에 떳떳하여 홍대하고 의연한 자세였다.

* **改過**: '改過遷善', '改過自新'을 뜻함. 《論語》(衛靈公)에 "子曰: 「過而不改, 是謂過矣.」"라 함.
* **矯病**: 병폐를 矯正함.
* **弘毅**: 크게 의연함. 《論語》(泰伯)에 "曾子曰: 「士不可以不弘毅, 任重而道遠. 仁以爲己任, 不亦重乎? 死而後已, 不亦遠乎?」"라 하였고, 朱熹 注에 "弘, 寬廣也. 毅, 强忍也. 非弘不能勝其重, 非毅無以致其遠"이라 함.

131

連續充輝 久卽純如
련 속 충 휘 구 즉 순 여

連(잇닿을 련: 辵-11) 久(오랠 구: 丿-3)
續(이을 속: 糸-21) 卽(곧 즉: 卩-9)
充(찰 충: 儿-5) 純(순수할 순: 糸-10)
輝(빛날 휘: 車-15) 如(같을 여: 女-6)

연하여 그 맥을 잇고 충일한 빛을 발하여, 오래도록 그 순여(純如)함을 지켜 내었다.

* **充輝**: 充溢하게 차서 넘치는 빛을 발함.
* **純如**: 순수함. 조화를 이룸. 《論語》(八佾)에 "子語魯大師樂, 曰:「樂其可知也: 始作, 翕如也: 從之, 純如也, 皦如也, 繹如也, 以成.」"이라 하였고, 朱熹 注에 "純, 和也"라 함.

132

豈容安排 十轍同塗
기 용 안 배 십 철 동 도

豈(어찌 기: 豆-10)
容(얼굴 용: 宀-10)
安(편안할 안: 宀-6)
排(밀칠 배: 手-11)
十(열 십: 十-2)
轍(바퀴 자국 철: 車-19)
同(한가지 동: 口-6)
塗(진흙, 길, 바를 도: 土-13)

어떤 것을 수용하고 어떤 것을 배척해야 하나? 열 수레의 바퀴라 해도 같은 길을 갈 텐데.

* **豈容安排**: '豈'와 '安'은 의문사. '容'과 '排'는 容納(受容)함과 排斥함.
* **十轍同塗**: 열 수레가 가도 그 바퀴는 앞선 수레가 간 바퀴 자국을 그대로 따라가게 됨. 모든 것은 같은 길을 가게 됨을 말함. '同塗共轍', '萬塗一轍'이라고도 표현함. '塗'는 흙이나 물감 등을 '바르다'의 뜻으로도 쓰임.

133

噫衆愚惑　任他拘蔽
희 중 우 혹　임 타 구 폐

噫(탄식할 희: 口-16)
衆(무리 중: 血-12)
愚(어리석을 우: 心-13)
惑(미혹할 혹: 心-12)
任(맡길 임: 人-6)
他(남 타: 人-5)
拘(잡을 구: 手-8)
蔽(덮을 폐: 艸-16)

안타깝도다, 무리들이 우매하고 미혹하여, 다른 것에 맡겨 얽매이고 가려졌으며,

* **噫衆愚惑**: '噫'는 감탄사. '愚惑'은 우매하고 미혹함.
* **任他拘蔽**: '拘蔽'는 구속을 당하기도 하고 가려져 차폐(遮蔽)되기도 함.

134

牽陷私邪 怠慢驕恣
견 함 사 사 태 만 교 자

牽(끌 견: 牛-11)
陷(빠질 함: 阜-11)
私(사사로울 사: 禾-7)
邪(간사할 사: 邑-7)
怠(게으름 태: 心-9)
慢(게으를, 거만할 만: 心-14)
驕(교만할 교: 馬-22)
恣(방자할 자: 心-10)

끌려 함정에 빠져들고, 사악함에 사사로이 빠지고 말아, 태만하고 교만하며 방자하게 굴면서,

* **牽陷私邪**: 억지로 함정이나 사사로움, 또는 사악함 등에 끌려 들어감.
* **怠慢驕恣**: '怠慢'은 게으르고 거만함. '驕恣'는 교만히 굴고 마구 행동함.

135

侈淫欺詐 貪忿殺傷
치 음 기 사 탐 분 살 상

侈(사치할 치: 人-8)
淫(음란할 음: 水-11)
欺(속일 기: 欠-12)
詐(속일 사: 言-12)
貪(탐할 탐: 貝-11)
忿(성낼 분: 心-8)
殺(죽일 살: 殳-11)
傷(다칠 상: 人-13)

사치와 음일, 속임수를 저지르고, 탐욕과 분노로 살상을 일삼으며,

* **侈淫欺詐**: '淫'은 '음란하다' 외에 정도에 지나쳐 옳지 못함을 뜻하는 말이기도 함. '欺詐'는 詐欺와 같음. 속임.
* **殺傷**: 죽이기도 하고 상해를 입히기도 함. 상쇄(相殺), 감쇄(減殺)와 같이 '殺'는 '덜다'의 경우 '쇄'로 읽음.

136

盜奪敵讐 戰爭亂亡
도 탈 적 수 전 쟁 란 망

盜(훔칠 도: 皿-12) 奪(빼앗을 탈: 大-14) 敵(원수 적: 攴-15) 讐(짝, 원수 수: 言-23)

戰(싸울 전: 戈-16) 爭(다툴 쟁: 爪-8) 亂(어지러울 란: 乙-13) 亡(망할 망: 亠-3)

도둑질하고 빼앗고 적대시하며 원수로 삼다가는, 끝내 전쟁으로 혼란 속에 망하고 말리라.

* **盜奪敵讐**: '讐'는 '讎'의 이체자. '敵讐'는 적대시하고 원수로 여김.

137

肆俾聰睿 后乂傅訓
사 비 총 예 후 예 부 훈

肆(방자할 사: 聿-13) 后(임금 후: 口-6)
俾(시킬 비: 人-10) 乂(벨 예: 丿-2)
聰(귀 밝을 총: 耳-17) 傅(스승 부: 人-12)
睿(밝을 예: 目-14) 訓(가르칠 훈: 言-10)

총명하고 예지로운 이를 마음껏 부려 써서, 임금은 이로써 다스리고 스승은 이를 가르침으로 삼아야 한다.

* **肆俾聰睿**: '肆'는 거리낌 없이 마음대로 함. '俾'는 시킴, 부림. '聰睿'는 聰明睿知(聰明叡智)의 줄인 말. '睿'는 '叡'와 같음.
* **后乂傅訓**: '后'는 임금. '乂'는 '治'의 뜻. 앞의 '俾' 자와 합해 '俾乂'는《尙書》(堯典)에 "帝曰:「咨! 四岳, 湯湯洪水方割, 蕩蕩懷山襄陵, 浩浩滔天. 下民其咨, 有能俾乂?」"라 하여 '그들을 부려 백성을 다스리다'의 뜻임. '傅'는 師傅, 스승.

138

京都郡邑　城闕寺院
경 도 군 읍　성 궐 사 원

京(서울 경: 亠-8)　城(성 성: 土-10)
都(도읍 도: 邑-12)　闕(대궐 궐: 門-18)
郡(고을 군: 邑-10)　寺(절 사, 관청 시: 寸-6)
邑(고을 읍: 邑-7)　院(담 원: 阜-10)

서울과 도시, 군과 읍에, 성궐과 사원이 있고,

* **城闕寺院**: '闕'은 궁궐, 대궐. '寺'는 절. 관청의 경우 '시'로 읽음. '院'은 기도원 등 종교 시설. '闕'은 '闕席', '補闕'처럼 '비다'의 뜻도 있음.

卿侯尹將 旁求豪俊
경 후 윤 장 방 구 호 준

卿(벼슬 경: 卩-12)
侯(과녁, 제후 후: 人-9)
尹(다스릴 윤: 尸-4)
將(장차, 장수 장: 寸-11)
旁(두루 방: 方-10)
求(구할, 찾을 구: 水-7)
豪(호걸 호: 豕-14)
俊(준걸 준: 人-9)

경(卿)과 후(侯), 윤(尹)과 장수의 벼슬하는 인재들이, 널리 호걸과 준사를 찾아내어,

* **卿侯尹將**: 옛날 여러 층의 벼슬 명칭과 직함. 卿大夫, 諸侯, 府尹, 將帥 등. '王侯將相'과 같은 뜻. 옛날에는 公侯伯子男의 작위가 있었음.
* **旁求豪俊**: '旁求'는 널리 찾아냄. 《尙書》(太甲)에 "先王昧爽丕顯, 坐以待旦. 旁求俊彦, 啓迪後人, 無越厥命以自覆. 愼乃儉德, 惟懷永圖"라 하였고, 孔安國〈傳〉에 "旁, 非一方"이라 함. '豪俊'은 호걸과 준사. 뛰어난 인재를 뜻함.

140

郎吏軍隷 府庫營陳
랑 리 군 례 부 고 영 진

郎(사나이 랑: 邑-10)
吏(벼슬아치 리: 口-6)
軍(군사 군: 車-9)
隷(붙을 례: 隶-16)
府(곳집 부: 广-8)
庫(곳집 고: 广-10)
營(경영할 영: 火-17)
陳(베풀, 묵을 진: 阜-11)

낭리(郎吏)와 군속, 그리고 부고에 준비해 두었다가 군영과 진을 쳐서 지켜 내어야 한다.

* **郎吏軍隷**: '軍隷'는 軍屬. 軍과 그에 예속된 인원들.
* **府庫營陳**: '府庫'는 창고. '營陳'은 兵營과 진지. '陳'은 고대 이 글자가 없어 陣과 통용하였음. 《論語》(衛靈公) "衛靈公問陳於孔子. 孔子對曰: 「俎豆之事, 則嘗聞之矣: 軍旅之事, 未之學也.」"라 하였는데, 여기서 '陳'은 '陣'의 뜻. 《顔氏家訓》(書證篇)에 "《蒼》·《雅》及近世字書, 皆無別字: 唯王羲之〈小學章〉, 獨阜傍作車, 縱復俗行"이라 하여 王羲之가 처음 陣 자를 만들었다 하였음. 한편 '陳'은 '펼치다'(陳列)와 '묵다'(陳腐)의 두 가지 뜻이 있음.

141

黎首億兆 士農工賈
려 수 억 조 사 농 공 고

黎(검을 려: 黍-15)
首(머리 수: 首-9)
億(억 억: 人-15)
兆(조짐 조: 儿-6)
士(선비 사: 士-3)
農(농사 농: 辰-13)
工(장인 공: 工-3)
賈(성씨 가, 앉은장사 고: 貝-13)

검은 머리 백성 억조들은, 선비와 농부, 공인, 장사꾼들로 생업에 힘쓰며,

* **黎首億兆**: '黎首'는 '黎民'이라고도 하며 '검은 머리'라는 뜻으로 백성을 뜻함. 혹 '黎'는 '많다'(衆)의 뜻으로도 봄. '黔首'와 같은 말. '黔首'는《史記》(秦始皇本紀)에 "分天下以爲三十六郡, 郡置守·尉·監. 更名民曰「黔首」"라 하여 진시황이 처음으로 백성을 '黔首'로 낮추어 불렀다 함. '億兆'는 아주 많은 백성. 億兆蒼生.《尙書》(泰誓)에 "受有億兆夷人, 離心離德, 予有亂臣十人, 同心同德"이라 함.

* **士農工賈**: 과거 '四民'(士農工商)을 뜻함. '商'은 중복을 피해 '賈'(고)로 바꾼 것. '賈'는 성씨일 경우 '가', '장사하다'의 경우 '고'로 읽음.

142

躳範政紀 誘導扶樹
궁 범 정 기 유 도 부 수

躳(몸 궁: 身-14)
範(법 범: 竹-15)
政(정사 정: 攴-8)
紀(벼리 기: 糸-9)

誘(꾈 유: 言-14)
導(이끌 도: 寸-16)
扶(도울 부: 手-7)
樹(나무, 세울 수: 木-16)

몸소 모범을 보이고 정치의 기강을 세워, 백성들을 유도하여 이끌면서 부축하고 세워 주어야 한다.

* **躳範政紀**: '躳'은 '躬'의 이체자. 명사로 '몸', 부사로 '몸소'의 뜻.
* **誘導扶樹**: '扶樹'는 기우는 것은 부축하여 바로 세우고, 넘어진 것은 다시 일으켜 세워 줌. '樹'는 동사로 '심다, 세우다'의 뜻.

143

刑憲昭示　賞罰攝束
형 헌 소 시　　상 벌 섭 속

刑(형벌 형: 刀-6)
憲(법 헌: 心-16)
昭(밝을 소: 日-9)
示(보일 시: 示-5)
賞(상줄 상: 貝-15)
罰(벌줄 벌: 网-14)
攝(당길 섭: 手-21)
束(묶을 속: 木-7)

형벌과 헌법은 그것을 훤히 알도록 밝게 펴 보여 주고, 상과 벌로써 다스리고 단속하며,

* **刑憲昭示**: '刑'은 금지하는 법 조항을 어기는 것. '憲'은 헌법. '昭示'는 훤히 알 수 있도록 펴서 보여 줌.
* **賞罰攝束**: '攝束'은 다스리고 단속함.

144

臭驅夷狄 妖禁巫祝
취 구 이 적 요 금 무 축

臭(냄새 취: 自-10)
驅(몰 구: 馬-21)
夷(오랑캐 이: 大-6)
狄(오랑캐 적: 犬-7)
妖(요상할 요: 女-7)
禁(금할 금: 示-13)
巫(무당 무: 工-7)
祝(빌 축: 示-10)

이적(夷狄)은 더럽게 여겨 몰아내고, 무당과 미신은 요물로 여겨 금지해야 한다.

* **臭驅夷狄**: '臭驅'는 냄새나는 더러운 것으로 여겨 몰아냄. '夷狄'은 중원을 둘러싼 사방의 異民族. 과거 중국은 사방 민족을 東夷, 西戎, 南蠻, 北狄으로 불렀음. 《禮記》(王制)에 "東方曰夷, 被髮文身, 有不火食者矣. 南方曰蠻, 雕題交趾, 有不火食者矣. 西方曰戎, 被髮衣皮, 有不粒食者矣. 北方曰狄, 衣羽毛穴居, 有不粒食者矣"라 함.
* **妖禁巫祝**: '巫祝'은 巫覡과 祝史. 《周易》(巽卦) 九二爻에 "巽在牀下, 用史巫紛若, 吉, 无咎"라 하였고, 孔穎達 疏에 "史謂祝史, 巫謂巫覡, 并是接事鬼神之人也"라 함. 여기서는 미신을 뜻함.

145

老佛仙禪 異種斥絶
로 불 선 선 이 종 척 절

老(늙은이 로: 老-6) 佛(부처 불: 人-7) 仙(신선 선: 人-5) 禪(봉선 선: 示-17)

異(다를 이: 田-12) 種(씨 종: 禾-14) 斥(물리칠 척: 斤-5) 絶(끊을 절: 糸-12)

노자와 불교, 선교와 참선 중에, 이단의 씨앗은 물리쳐 끊어버리며,

* **老佛仙禪**: '老'는 老子. 李耳. 莊子, 列子와 함께 道家를 대표함. 이는 선진시대에는 老莊의 도가, 漢代에는 黃老術, 魏晉시대에는 玄學을 거쳐 唐 玄宗 때 이들의 저술《老子》를《道德經》,《莊子》를《南華眞經》,《列子》를《冲虛至德眞經》으로 승격시켜 정식 종교 道敎가 됨. 이를 혹 仙敎로도 부름. '佛'은 佛敎. 東漢 明帝의 꿈에 서쪽에서 성인이 찾아오는 꿈을 꾸고 과연 永平 3년(A.D. 60년)에 서역인들이 백마에 불경을 싣고 낙양을 찾아옴으로써 불교가 처음으로 중국에 들어왔음. 이에 낙양 동쪽에 白馬寺를 세워 布敎와 譯經이 시작됨. 慧皎《高僧傳》(1)을 참조할 것. '仙'은 선교, 도교. 神仙術을 믿어 不老長生과 仙界로의 羽化를 지향하며 수도하는 종교. '禪'은 불교의 참선 수행을 뜻함.
* **異種斥絶**: '異種'은 異端의 종류. '斥絶'은 배척하여 끊어버림.

146

勸懲畏慕 會歸晏謐
권 징 외 모 회 귀 안 밀

勸(권할 권: 力-20)
懲(징계할 징: 心-19)
畏(두려워할 외: 田-9)
慕(그리워할 모: 心-15)
會(모일 회: 曰-13)
歸(돌아갈 귀: 止-18)
晏(늦을, 편안 안: 日-10)
謐(고요할 밀: 言-17)

권선징악으로 두렵게 여기기도 하고 흠모하게도 하여, 모두 모아 편안하고 고요한 곳으로 돌아가게 해야 한다.

* **勸懲**: 勸善懲惡의 줄인 말.
* **畏慕**: 畏懼羨慕의 줄인 말.
* **晏謐**: 편안하고 조용함.

147

盛衰隨治　往跡且徵

성　쇠　수　치　　왕　적　차　징

盛(담을, 성할 성: 皿-12)
衰(쇠할 쇠: 衣-10)
隨(따를 수: 阜-16)
治(다스릴 치: 水-8)
往(갈 왕: 彳-8)
跡(자취 적: 足-13)
且(또 차: 一-5)
徵(부를, 징험 징: 彳-15)

홍망성쇠란 다스림의 여하에 따르는 것이니, 지난 일은 흔적도 있고 게다가 징험도 있다.

* **盛衰隨治**: '盛衰'는 興亡盛衰. '隨治'는 '어떻게 다스리는가'에 따름.
* **往跡且徵**: '往'은 '徃'의 이체자. '跡'은 蹟과 같음. 옛 흔적이나 자취. '且'는 '또, 게다가'의 강조를 나타내는 부사. '徵'은 徵驗, 證驗, 證據.

148

俯仰宇宙 邈矣莫憑
부 앙 우 주 막 의 막 빙

俯(구부릴 부: 人-10)
仰(우러를 앙: 人-6)
宇(집 우: 宀-6)
宙(집 주: 宀-8)
邈(멀 막: 辵-18)
矣(어조사 의: 矢-7)
莫(없을 막: 艸-11)
憑(기댈 빙: 心-16)

우주를 굽어보고 우러러보니, 아득하여 기댈 곳이 없도다.

* **俯仰宇宙**: '俯仰'은 위아래 모두 두루 훑어봄. '宇宙'는 《千字文》에 "宇宙洪荒"이라 함. 《淮南子》(原道訓)에 "橫四維而含陰陽, 紘宇宙而章三光"이라 하였고, 高誘 注에 "四方上下曰宇, 古往今來曰宙. 以喩天地"라 함.
* **邈矣莫憑**: '邈'은 멀고 아득함. '矣'는 종결사. 문장 중간에 쓰일 경우 강조의 뜻을 나타냄. '莫憑'은 기댈 곳이 없음. 너무 큰 공간임을 말함.

149

江淮河漢 泰華衡恒
강 회 하 한 태 화 형 항

江(강 강: 水-6)

淮(강이름 회: 水-11)

河(하수 하: 水-8)

漢(한수 한: 水-14)

泰(클 태: 水-10)

華(꽃, 화려할 화: 艸-12)

衡(저울대, 가로 형: 行-16)

恒(항상, 떳떳할 항: 心-9)

사독(四瀆)으로는 장강(長江), 회수(淮水), 황하(黃河), 한수(漢水)가 있고, 오악(五嶽)으로는 태산(泰山), 화산(華山), 형산(衡山), 항산(恒山)이 있으며,

* **江淮河漢**: 중국의 四瀆(제후와 같은 등급으로 제사를 지내야 할 네 곳의 큰 강물)임. 《禮記》(王制)에 "四瀆視諸侯"라 하였고, 《爾雅》(釋水)에 "江河淮濟爲四瀆. 四瀆者, 發源注海者也"라 함. 《說苑》(辨物)에는 "四瀆者, 何謂也? 江河淮濟也. 四瀆何以視諸侯? 能蕩滌垢濁焉, 能通百川於海焉, 能出雲雨千里焉, 爲施甚大, 故視諸侯也"라 함.
* **泰華衡恒**: 이는 중국 五嶽 중 넷을 들어 대신한 것. 五嶽은 三公의 등급으로 제사를 올리는 대상임. 《禮記》(王制)에 "五嶽視三公"이라 하였고, 《爾雅》(釋山)에는 "泰山爲東嶽: 華山爲西嶽, 霍山爲南嶽, 恒山爲北嶽, 嵩高爲中嶽"이라 함. 《說苑》(辨物)에는 "五嶽者, 何謂也? 泰山, 東嶽也: 霍山, 南嶽也: 華山, 西嶽也: 常山, 北嶽也: 嵩高山, 中嶽也. 五嶽何以視三公? 能大布雲雨焉, 能大斂雲雨焉:

雲觸石而出, 膚寸而合, 不崇朝而雨天下, 施德博大, 故視三公也"이라 함. 한편 '五嶽'은 시대마다 달라 漢 宣帝 때에는 泰山을 東嶽, 華山(陝西省)을 西嶽, 天柱山(霍山, 安徽省)을 南嶽, 恒山(河北省)을 北嶽, 嵩山(河南省)을 中嶽으로 삼았었음. 그러나 隋代에는 衡山(湖南省)을 南嶽으로 고쳤으며, 明代에는 恒山(山西省)을 北嶽으로 하였음. '恒'은 '恆'으로도 표기함.

150

九州褊隅 近從結繩
구 주 편 우 근 종 결 승

九(아홉 구: 乙-2) 近(가까울 근: 辵-8)
州(고을 주: 巛-6) 從(좇을 종: 彳-11)
褊(좁을 편: 衣-14) 結(맺을 결: 糸-12)
隅(모퉁이 우: 阜-12) 繩(줄 승: 糸-19)

구주(九州)라 해도 좁은 구석이기에, 결승(結繩)으로 가까이하여 따르도록 하였다.

* **九州褊隅**: '九州'는 고대 중국을 9개의 주로 나누어 행정 구역을 삼은 것. 《尙書》(禹貢)에 의하면 堯임금 때의 九州는 冀州, 兗州, 靑州, 徐州, 荊州, 揚洲, 豫州, 梁州, 雍州였음. 舜이 다시 幷州, 幽州, 營州의 三州를 開設하여 모두 十二州였으며 禹가 다시 이를 九州로 확정함. '褊隅'는 협소하며 귀퉁이에 치우쳐 있음. 앞서 우주의 막막함에 비하면 중국 九州도 좁다는 뜻임.

* **近從結繩**: '結繩'은 문자가 있기 전 새끼줄의 굵기와 길이를 달리하여 기록으로 삼았던 것. 《周易》(繫辭傳)에 "上古結繩而治, 後世聖人易之以書契, 百官以治, 萬民以察, 蓋取諸〈夬〉"라 하였고, 〈正義〉에 "'結繩'者, 鄭康成·王弼 注云: 「事大大結其繩, 事小小結其繩.」 義或然也"라 함.

151

於皇創法 爰闢草昧
오 황 창 법　원 벽 초 매

於(어조사 어: 方-8)
皇(임금, 높을 황: 白-9)
創(비롯할 창: 刀-12)
法(법 법: 水-8)

爰(이에 원: 爪-9)
闢(열 벽: 門-21)
草(풀 초: 艸-10)
昧(어두울 매: 日-9)

오, 높도다, 법을 창안하여, 풀로 뒤덮여 몽매한 세상을 열어젖혔도다.

* **於皇創法**: '於'는 어조사로 쓰일 경우 원음은 '어'. 감탄사로 쓰일 경우 '오'로 읽음.
* **爰闢草昧**: '爰'은 어조사, 발어사. '草昧'는 풀에 덮여 몽매함. 《周易》(屯卦) "天造草昧"의 王弼 注에 "造物之始, 始於冥昧, 故曰草昧也"라 함.

羲畫字卦　炎軒繼備
희　화　자　괘　　염　헌　계　비

羲(이름 희: 羊-16)　炎(불탈 염: 火-8)
畫(그림 화, 그릴 획: 田-12)　軒(추녀, 수레 헌: 車-10)
字(글자 자: 子-6)　繼(이을 계: 糸-20)
卦(걸 괘: 卜-8)　備(갖출 비: 人-12)

복희씨(伏羲氏)는 글자와 팔괘(八卦)를 그려서 만들고, 염제(炎帝) 신농씨(神農氏)와 황제(黃帝) 헌원씨(軒轅氏)가 뒤를 이어 갖추었으며,

* **羲畫字卦**: 《周易》(繫辭傳)에 "古者, 包犧氏之王天下也, 仰則觀象於天, 俯則觀法於地, 觀鳥獸之文與地之宜, 近取諸身, 遠取諸物, 於是始作八卦, 以通神明之德, 以類萬物之情"이라 함. 八卦는 '009'의 주를 볼 것. 《十八史略》(1)에도 "太昊伏羲氏: 風姓, 代燧人氏而王. 蛇身人首, 始畫八卦, 造書契, 以代結繩之政, 制嫁娶, 以儷皮爲禮, 結網罟敎佃漁, 養犧牲以庖廚, 故曰庖犧. 有龍瑞, 以龍紀官, 號龍師. 木德王, 都於陳"이라 함. '畫'는 '畵'의 이체자이며, '劃'과 같을 경우 '획'으로 읽음. '字'는 글자. 《千字文》에 "始制文字, 乃服衣裳"이라 하였으며, 許愼의 《說文解字》(序)에 "倉頡之初作書, 蓋依類象形, 故謂之文, 其後形聲相益, 卽謂之字. 文者, 物象之本: 字者, 言孳乳而寖多也"라 함. 그리고 《尙書》(序)에는 "伏羲始畫八卦, 造書契, 以代結繩之政, 由是文籍生焉"이라 하였으며, 《淮

南子》(本經訓)에는 "昔者, 蒼頡作書, 而天雨粟, 鬼夜哭"이라 함.

* **炎**: 炎帝 神農氏. 농사법과 醫藥, 交易의 방법을 처음으로 開發한 부락 領袖. 산과 原野에 불을 놓아 농지를 확보하고 농사를 지었다 하여 烈山氏라고도 부름. 역시 전설상 三皇의 하나이며 火德(南方)으로 왕이 되었다 하여 炎帝로 불림. 《周易》 같은 곳에 "包犧氏沒, 神農氏作, 斲木爲耜, 揉木爲耒, 耒耨之利, 以教天下, 蓋取諸〈益〉"이라 하였고, 《十八史略》에는 "炎帝神農氏: 姜姓. 人身牛首, 繼風姓而立, 火德王. 斲木爲耜, 揉木爲畊, 始教畊, 作蜡祭. 以赭鞭鞭草木, 嘗百草, 始有醫藥. 教人日中爲市, 交易以退. 都於陳, 徙曲阜"라 함.

* **軒**: 黃帝 軒轅氏. 五帝(黃帝, 顓頊, 帝嚳, 堯, 舜) 첫 제왕으로 有熊氏의 首領. 전설상 그는 文字, 曆法, 舟車, 宮室, 衣裳, 音樂, 醫藥, 弓矢 등을 모두 발명하여 문명시대로 접어들게 하였다는 군주로 여기고 있음. 특히 姜姓의 炎帝(神農氏)가 쇠퇴하자 그 잔여 세력을 멸하고 九黎族의 영수 蚩尤와 싸워 이기는 등 세력을 키워 중국인들은 흔히 자신들을 炎黃之孫이라 추앙하고 있음. 公孫氏이며 姬水 가에 살아 姬姓으로도 부름. 軒轅의 언덕을 근거지로 발전하여 軒轅氏로도 불리며, 나라를 有熊이라 하여 有熊氏로도 부름. 土德으로 왕이 되었다 하여 黃帝로 칭함. 道家의 시조로 여겨 黃老術의 원조가 되기도 함. 《史記》(五帝本紀)에 "黃帝者, 少典之子, 姓公孫, 名曰軒轅. 生而神靈, 弱而能言, 幼而徇齊, 長而敦敏, 成而聰明. 軒轅之時, 神農氏世衰. 諸侯相侵伐, 暴虐百姓, 而神農氏弗能征. 於是軒轅乃習用干戈, 以征不享, 諸侯咸來賓從. 而蚩尤最爲暴, 莫能伐. 炎帝欲侵陵諸侯, 諸侯咸歸軒轅. 軒轅乃修德振兵, 治五氣, 蓺五種, 撫萬民, 度四方, 教熊羆貔貅貙虎, 以與炎帝戰於阪泉之野. 三戰, 然後得其志. 蚩尤作亂, 不用帝命. 於是黃帝乃徵師諸侯, 與蚩尤戰於涿鹿之野, 遂禽殺蚩尤. 而諸侯咸尊軒轅爲天子, 代神農氏, 是爲黃帝. 天下有不順者, 黃帝從而征之, 平者去之, 披山通道, 未嘗寧居. 東至于海, 登丸山, 及岱宗. 西至于空桐, 登雞頭. 南至于江, 登熊·湘. 北逐葷粥, 合符釜山, 而邑于涿鹿之阿. 遷徙往來無常處, 以師兵爲營衛. 官名皆以雲命, 爲雲師. 置左右大監, 監于萬國. 萬國和, 而鬼神山川封禪與爲多焉. 獲寶鼎, 迎日推筴. 舉風后·力牧·常先·大鴻以治民. 順天地之紀, 幽明之占, 死生之說,

存亡之難. 時播百穀草木, 淳化鳥獸蟲蛾, 旁羅日月星辰水波土石金玉, 勞勤心力耳目, 節用水火材物. 有土德之端, 故號黃帝. 黃帝二十五子, 其得姓者十四人. 黃帝居軒轅之丘, 而娶於西陵之女, 是爲嫘祖. 嫘祖爲黃帝正妃, 生二子, 其後皆有天下: 其一曰玄囂, 是爲靑陽, 靑陽降居江水: 其二曰昌意, 降居若水. 昌意娶蜀山氏女, 曰昌僕, 生高陽, 高陽有聖德焉. 黃帝崩, 葬橋山. 其孫昌意之子高陽立, 是爲帝顓頊也"라 하였고, 《十八史略》(1)에는 "黃帝: 公孫姓, 又曰姬姓, 名軒轅, 有熊國君, 少典子也. 母見大電繞北斗樞星, 感而生帝. 炎帝世衰, 諸侯相侵伐, 軒轅乃習用干戈以征不享, 諸侯咸歸之. 與炎帝戰于阪泉之野, 克之. 蚩尤作亂, 其人銅鐵額, 能作大霧, 軒轅作指南車, 與蚩尤戰於涿鹿之野禽之, 遂代炎帝爲天子. 土德王, 以雲紀官, 爲雲師. 作舟車以濟不通, 得風后爲相, 力牧爲將. 受河圖. 見日月星辰之象, 始有星官之書. 師大撓占斗建作甲子, 容成造曆, 隸首作算數. 伶倫取嶰谷之竹, 制十二律筩, 以聽鳳鳴. 雄鳴六, 雌鳴六. 以黃鐘之宮生六律六呂, 以候氣應, 鑄十二鐘, 以和五音. 嘗晝寢, 夢遊華胥之國, 怡然自得. 其後天下大治, 幾若華胥. 世傳: 黃帝采銅鑄鼎, 鼎成, 有龍垂胡髥下迎. 帝騎龍上天, 羣臣後宮從者七十餘人, 小臣不得上, 悉持龍髥, 髥拔, 墮弓, 抱其弓而號. 後世名其處曰鼎湖: 其弓曰烏號. 黃帝二十五子, 其得姓者十四"라 함.

153

少昊顓嚳 二帝巍煥
소 호 전 곡 이 제 외 환

少(적을, 어릴 소: 小-4)	**二**(두 이: 二-2)
昊(하늘 호: 日-8)	**帝**(임금 제: 巾-9)
顓(전단할 전: 頁-18)	**巍**(높을 외: 山-21)
嚳(고할 곡: 口-20)	**煥**(불꽃 환: 火-13)

소호(少昊)와 전욱(顓頊), 제곡(帝嚳), 그리고 요순 두 제왕이 이어 우뚝 빛을 발하셨도다.

* **少昊**: 少昊는 金天氏. 태고 때 제왕.《十八史略》(1)에는 "少昊金天氏: 名玄囂, 黃帝之子也. 亦曰青陽, 其立也鳳鳥適至, 以鳥紀官"이라 하면서 黃帝 대신 五帝의 하나로 넣고 있으나《史記》(五帝本紀)에는 黃帝, 顓頊, 帝嚳, 帝堯, 帝舜을 들어 소호는 해당하지 않음.
* **顓**: 顓頊 高陽氏. 五帝의 두 번째 제왕.《十八史略》에 "顓頊高陽氏: 昌意之子, 黃帝孫也. 代少昊而立. 少昊之衰, 九黎亂德, 民神雜糅, 不可方物. 顓頊受之, 乃命南正重, 司天以屬神: 火正黎, 司地以屬民, 使無相侵瀆. 始作曆, 以孟春爲元"이라 함.
* **嚳**: 帝嚳 高辛氏. 五帝의 세 번째 제왕.《十八史略》에 "帝嚳高辛氏: 玄囂之子, 黃帝曾孫也. 生而神靈, 自言其名, 代顓頊而立, 居於亳"이라 함.
* **二帝巍煥**: '二帝'는 五帝의 帝堯(陶唐氏)와 帝舜(有虞氏)을 가리킴. '帝堯'(堯)

는《十八史略》에 "帝堯陶唐氏: 伊祁姓, 或曰名放勛, 帝嚳子也. 其仁如天, 其知如神, 就之如日, 望之如雲, 都平陽. 茆茨不剪, 土階三等. 有草生庭, 十五日以前, 日生一葉, 以後日落一葉, 月小盡, 則一葉厭而不落, 名曰蓂莢, 觀之以知旬朔. 治天下五十年, 不知天下治歟, 不治歟? 億兆願戴己歟, 不願戴己歟? 問左右不知, 問外朝不知, 問在野不知. 乃微服游於康衢, 聞童謠, 曰:『立我烝民, 莫匪爾極. 不識不知, 順帝之則.』有老人, 含哺鼓腹, 擊壤而歌曰:『日出而作, 日入而息. 鑿井而飮, 畊田而食, 帝力何有於我哉!』"라 하여 〈擊壤歌〉를 남긴 왕으로도 유명함. '帝舜'(舜)은 오제의 마지막 제왕.《十八史略》에 "帝舜有虞氏: 姚姓, 或曰名重華, 瞽瞍之子, 顓頊六世孫也. 父惑於後妻, 愛少子象, 常欲殺舜. 舜盡孝悌之道, 烝烝乂不格姦. 畊歷山, 民皆讓畔: 漁雷澤, 人皆讓居: 陶河濱, 器不苦窳. 所居成聚, 二年成邑, 三年成都. 堯聞之聰明, 擧於畎畝, 妻以二女, 曰娥黃·女英, 釐降于嬀汭"라 함. 이상 五帝는《史記》(五帝本紀) 및 皇甫謐《帝王世紀》,《世本》,《竹書紀年》등에 자세한 사적이 실려 있음. '巍煥'은 우뚝 빛을 내어 환하게 비춤.

154

姒除懷襄 再奠赤縣
사 제 회 양 재 전 적 현

姒(동서, 성씨 사: 女-8)
除(제할 제: 阜-10)
懷(품을 회: 心-19)
襄(도울 양: 衣-17)
再(두 재: 冂-6)
奠(자리잡을, 제사지낼 전: 大-12)
赤(붉을 적: 赤-7)
縣(고을 현: 糸-16)

사씨(姒氏, 禹)가 회양(懷襄)의 수재(水災)를 제거하고, 다시 적현(赤縣)에 터를 잡았고,

* **姒**: 夏禹(禹임금)를 가리킴. 《帝王世紀》(3)에 "伯禹, 夏后氏, 姒姓也. 其先出顓頊. …繼鯀治水, 十三年而洪水平. 堯美其績, 乃賜姓姒氏, 封爲夏伯, 故謂之伯禹"라 함. 五帝의 마지막 제왕 舜(有虞氏)을 이어 천하를 이어받았음. 禹는 성이 姒氏였으며, 그 역시 선양으로 천하를 益에게 물려주었으나 우의 아들 啓가 똑똑하여 사람들이 그를 왕으로 삼아 중국 최초의 왕조 夏나라가 생긴 것임. 이에 따라 그동안 지켜지던 '公天下'(禪讓)에서 '家天下'(世襲)로 바뀌게 된 것임. 《十八史略》(1)에 "夏后氏禹: 姒姓, 或曰名文命, 鯀之子, 顓頊孫也. 鯀湮洪水, 舜擧禹代鯀, 勞身焦思, 居外十三年, 過家門不入. 陸行乘車, 水行乘船, 泥行乘橇, 山行乘檋, 開九州, 通九道, 陂九澤, 度九山. 子啓賢, 能繼禹道. 禹嘗薦益於天, 謳歌朝覲者, 不之益而之啓, 曰:「吾君之子也.」啓遂立"이라 함. 夏나라에 대한 기록은 司馬遷이 정식으로 《史記》에 〈夏本紀〉를 기술하여 이를 통해 자

세한 내용을 알 수 있으며,《尙書》,《大戴禮記》 등에도 자세히 실려 있음.

* **懷襄**: '懷山襄陵'의 줄인 말로 "홍수가 산을 포함하고 구릉까지 차오르다"의 뜻. 水災, 즉 洪水의 재앙을 뜻하여 '姒除懷襄'은 姒氏(禹)가 治水에 성공하였음을 말함. 《史記》(五帝本紀)에 "堯又曰: 「嗟, 四嶽, 湯湯洪水滔天, 浩浩懷山襄陵, 下民其憂, 有能使治者?」"라 하였고, 〈索隱〉에 "孔安國曰: 「懷, 包: 襄, 上也.」"라 하였으며, 〈正義〉에는 "案: 懷, 藏, 包裹之義, 故懷爲包. 言水襄上乘陵, 浩浩盛大, 勢若漫天"이라 함. 《尙書》(堯典)에도 "帝曰: 「咨! 四岳, 湯湯洪水方割, 蕩蕩懷山襄陵, 浩浩滔天. 下民其咨, 有能俾乂?」"라 함.
* **再奠赤縣**: '奠'은 '터를 삼다'의 뜻. '赤縣'은 중국(중원)을 뜻하는 말. 이는 전국시대 陰陽家 鄒衍의 학설로 천하는 81州로 되어 있고, 그중 하나가 중국이며 이를 '赤縣神州'라 부르며, 다시 중국(적현신주) 안에 九州가 있고 이 구주가 바로 우임금이 나눈 것이라 하였음. 《史記》(孟荀列傳)에 "稱引天地剖判以來, 五德轉移, 治各有宜, 而符應若玆. 以爲儒者所謂中國者, 於天下乃八十一分居其一分耳. 中國名曰赤縣神州. 赤縣神州內自有九州, 禹之序九州是也, 不得爲州數. 中國外如赤縣神州者九, 乃所謂九州也"라 함.

155

商紹契緒 征罪反淳
상 소 설 서 정 죄 반 순

商(장사 상: 口-11)
紹(이을 소: 糸-11)
契(맺을 계, 이름 설: 大-9)
緖(실마리 서: 糸-15)
征(칠 정: 彳-8)
罪(허물 죄: 网-13)
反(되돌릴 반: 又-4)
淳(순박할 순: 水-11)

상탕(商湯)이 자신의 조상 설(契)이 시작한 업을 이어서, 죄 지은 자를 정벌하여 순박한 풍속으로 되돌려 놓았다.

* **商紹契緖**: '商'은 商湯, 즉 商(殷)을 세운 탕임금을 가리킴. 姓은 子. 이름은 履. 武湯, 成湯, 天乙로도 불림. 원래 夏나라 때의 諸侯. 亳을 근거로 발전하여 夏나라 末王 桀의 무도함을 제거하고 伊尹을 등용하여 殷(商)을 세운 개국 군주. 儒家에서 聖人으로 받듦. 《史記》(殷本紀)를 참조할 것. 《十八史略》(1)에는 "殷王成湯: 子姓, 名履. 其先曰契, 帝嚳子也. 母簡狄, 有娀氏女, 見玄鳥墮卵呑之, 生契. 爲唐虞司徒, 封於商, 賜姓"이라 함. '契'(설)은 卨(설)로도 표기하며 탕의 선조. 帝嚳(高辛氏)의 아들로 어머니 簡狄이 제비가 떨어뜨린 알을 삼키고 낳았다는 卵生說話를 가지고 있음. 唐虞(堯舜) 시대 사도가 되어 상 땅에 봉해졌음. 《詩經》(商頌 玄鳥)에 "天命玄鳥, 降而生商, 宅殷土芒芒"이라 하였고, 〈毛傳〉에 "玄鳥, 鳦也. 春分玄鳥, 降湯之先祖有娀氏女簡狄. 配高辛氏帝, 帝率與之, 祈于郊禖, 而生契. 故本其爲天所命, 以玄鳥至而生焉"이라 하였으며, 〈鄭箋〉에 "降,

下也. 天使鳦下, 而生商者, 謂鳦遺卵娀氏之女簡狄, 吞之而生契. 爲堯司徒, 有功封商. 堯知其後將興, 又錫其姓焉"이라 함. 〈集傳〉에도 "玄鳥, 鳦也. 春分玄鳥降, 高辛氏之妃, 有娀氏女簡狄, 祈於郊禖, 鳦遺卵, 簡狄吞之, 而生契. 其後世遂爲有商氏, 以有天下. 事見《史記》"라 함. '紹'는 '이어받아 잘 펴다'의 뜻. '緖'는 시작. 탕의 조상 契이 시작한 왕업을 뜻함. 한편 '契'은 계약(契約)에서 처럼 '파다, 글씨를 새기다'의 뜻일 경우 '계'로 읽음.

* **征罪反淳**: '征罪'는 탕의 전 왕조, 즉 夏나라 末王 桀의 무도함을 정벌하였음을 말함. '桀'은 이름은 癸(履癸). 妹喜에게 빠져 무도한 짓을 저질렀으며 商(殷)의 湯王에게 망함. 商(殷)나라 末王 紂와 함께 '桀紂'라 하여 폭군의 전형으로 거론됨. 《史記》(夏本紀)를 참조할 것. '反淳'은 순박한 세상으로 되돌림. '反'은 '返'과 같음. 되돌림.

156

姬綿棄祚 岐鎬命新
희 면 기 조 기 호 명 신

姬(계집 희: 女-9)
綿(이어질 면: 糸-14)
棄(버릴 기: 木-12)
祚(복 조: 示-10)
岐(갈림길, 땅이름 기: 山-7)
鎬(호경 호: 金-18)
命(목숨 명: 口-8)
新(새 신: 斤-13)

뒤를 이은 주(周)나라 희씨(姬氏)들은 옛 조상 희기(姬棄)가 준 복을 면면히 이어가면서, 기산(岐山)과 호경(鎬京)에서 명을 받아 유신(維新)을 행하였다.

* **姬綿棄祚**: '姬'는 周나라 성씨. 고대 姓氏의 '姓'은 모계사회에서 출발하여 姬, 姒, 嬴, 姚, 妘, 姜, 姙, 姞, 嬀 등 '女'변의 글자가 됨. '氏'는 지역을 중심으로 한 부족에서 비롯되었음. 따라서 姓은 血緣, 氏는 地緣에서 시작된 것임. '棄'는 周나라 시조 姬棄. 즉 后稷을 가리킴. 어머니 강원이 거인의 발자국을 따라갔다가 잉태하여 낳음. 이에 상서롭지 못하다 여겨 아이를 버렸으나(棄) 새와 말이 보살펴 다시 거두어 길러 이름을 '棄'라 부른 것임. 뒤에 農稷之官이 되어 后稷이라 불림. 이는 母系사회에서 父系사회로 이전하는 과정과 농업의 일반화를 일러 주는 고사임. 《史記》(周本紀)에 "周后稷, 名棄. 其母有邰氏女, 曰姜原. 姜原爲帝嚳元妃. 姜原出野, 見巨人迹, 心忻然說, 欲踐之, 踐之而身動如孕者. 居期而生子, 以爲不祥, 棄之隘巷, 馬牛過者皆辟不踐: 徙置之林中, 適會山林多人, 遷

之: 而棄渠中冰上, 飛鳥以其翼覆薦之. 姜原以爲神, 遂收養長之. 初欲棄之, 因名曰棄. 棄爲兒時, 屹如巨人之志. 其游戲, 好種樹麻·菽, 麻·菽美. 及爲成人, 遂好耕農, 相地之宜, 宜穀者稼穡焉, 民皆法則之. 帝堯聞之, 擧棄爲農師, 天下得其利, 有功. 帝舜曰:「棄, 黎民始飢, 爾后稷播時百穀.」封棄於邰, 號曰后稷, 別姓姬氏. 后稷之興, 在陶唐·虞·夏之際, 皆有令德"이라 함. 한편 '姬'를 '姫'(진)으로 표기하는 것은 잘못된 것임.

* **岐鎬命新**: '岐'는 岐山. 后稷의 후손이 狄人을 피해 자리를 잡았던 곳. 지금의 陝西 岐山縣. '鎬'는 周왕조 창건 때의 도읍. 武王 때 岐山에서 豐(酆)으로 옮겼으며 武王 때 豐에서 鎬로 다시 천도함. '鎬'는 鎬京으로도 불리며 지금의 陝西 西安 서남쪽. '命新'은 維新을 실행함.《詩經》(大雅 文王)에 "文王在上, 於昭于天! 周雖舊邦, 其命維新!"이라 함. '維新'은 새롭게 재탄생하여 정치를 혁신함을 뜻함. '綿'은 '緜'의 이체자.

157

典章咸美 永世作程
전 장 함 미 영 세 작 정

典(법 전: 八-8)　　永(길 영: 水-5)

章(글 장: 立-11)　　世(대 세: 一-5)

咸(다 함: 口-9)　　作(지을 작: 人-7)

美(아름다울 미: 羊-9)　　程(단위, 길 정: 禾-12)

주나라는 문물 전장을 모두 아름답게 갖추어, 영세토록 표준이 될 법을 만들었다.

* **典章咸美**: '典章'은 文物典章. 즉 모든 법규와 의식, 나라를 이끌어 가는 일체의 규모를 정한 것.

* **永世作程**: '程'은 표준이 되는 章程. 길, 법, 規程, 章程.

158

王綱傾墜 列覇縱橫
왕 강 경 추 렬 패 종 횡

王(임금 왕: 玉-4) 列(줄 렬: 刀-6)
綱(벼리 강: 糸-14) 覇(으뜸 패: 襾-19)
傾(기울 경: 人-13) 縱(늘어질, 세로, 마구 종: 糸-17)
墜(떨어질 추: 土-15) 橫(가로 횡: 木-16)

그런데 그만 주나라 왕통의 강령이 기울고 무너져, 춘추오패가 줄을 서고 전국칠웅이 합종연횡으로 혼란의 시기가 되었다.

* **王綱傾墜**: 周나라가 厲王 때 共和를 지나 幽王 때 褒姒의 일로 망하게 됨. 이때까지를 西周(鎬京)라 하며, 태자 宜臼(平王)가 洛邑(河南 洛陽)으로 東遷하여 다시 주 왕실을 이어가게 되는데 이를 東周라 함. 東周의 전반부를 春秋, 후반부를 戰國시대라 함. 춘추시대까지 종주국 周나라만 '王'을 칭하고, 제후는 公侯伯子男을 칭하였음. 전국시대가 되자 모든 나라들이 자신들도 '王'이라 칭함.
* **列覇縱橫**: '列覇'는 春秋 시대를 뜻함. 춘추시대는 周王室의 권위가 사라지고 제후의 다섯 패자가 차례로 나와 천하를 이끎. 이를 '春秋五霸'라 하며, 齊桓公(小白), 宋襄公(玆父), 晉文公(重耳), 秦穆公(任好), 楚莊王(熊旅)이었음. '覇'는 霸의 이체자. '縱橫'은 춘추시대가 지나 다시 각 제후국의 卿大夫들이 발호하여 세력을 확장, 이웃 제후들을 병합하고 大國을 형성, 천하에 七國, 즉 秦, 齊, 楚, 韓, 魏, 趙, 燕이 전국칠웅이 되어 끊임없는 전쟁으로 合縱(合從, 蘇秦)과 連橫(連衡, 張儀)의 대치 국면을 이룸. 이를 '戰國七雄'이라 함.

159

秦狂劉起 帶礪盟定
진 광 류 기　대 려 맹 정

秦(나라 이름 진: 禾-10)　帶(띠 대: 巾-11)

狂(미칠 광: 犬-7)　礪(숫돌 려: 石-20)

劉(죽일, 성씨 류: 刀-15)　盟(맹세할 맹: 皿-13)

起(일어날 기: 走-10)　定(정할 정: 宀-8)

이를 통일한 진시황(秦始皇)이 미친 짓을 하자, 한(漢)나라 유방(劉邦)이 일어서서, 대려(帶礪)의 맹약을 맺어 안정시켰다.

* **秦狂劉起**: '秦'은 전국칠웅 가운데 가장 세력이 강했던 나라. 도읍은 함양. 그 나라 秦始皇(嬴政)이 천하를 통일함. 그러나 진시황은 폭정을 일삼다가 二世(胡亥)를 거쳐 孺子(嬰) 때 趙高 등의 전횡으로 천하 대란이 일어나 項羽와 劉邦 등으로 굳어졌으며, 다시 항우(楚)와 유방(漢)의 楚漢戰을 거쳐 유방의 漢나라가 천하를 통일하게 됨.
* **帶礪盟定**: '帶礪'의 '礪'는 숫돌. 《史記》(高祖功臣侯者年表)에 高祖(劉邦)가 천하를 평정하고 공신들을 封爵하면서 "황하가 띠와 같이, 태산이 숫돌과 같이 되도록 길이 나라가 평안을 누려 후손에게 미치게 하리라"(使河如帶, 泰山若厲, 國以永寧, 爰及苗裔)라고 서약하였음. '礪'는 '厲'로 표기되어 있음. '礪山帶河'의 성어로 널리 알려져 있으며, 《幼學瓊林》에 "金城湯池, 謂城池之鞏固; 礪山帶河, 乃封建之誓盟"이라 함.

160

吳魏僭僞 晉室不競
오 위 참 위 진 실 불 경

吳(나라 이름 오: 口-7) 晉(나라 이름 진: 日-10)
魏(나라 이름 위: 鬼-18) 室(집 실: 宀-9)
僭(참람할 참: 人-14) 不(아닐 불(부): 一-4)
僞(거짓 위: 人-14) 競(다툴 경: 立-20)

그런데 다시 한말(漢末)에 동오(東吳)와 조위(曹魏)가 참월하여 거짓된 행동을 함에, 사마씨(司馬氏) 진(晉)나라가 다툼 없이 천하를 차지하였다.

* **吳魏僭僞**: 西漢과 東漢이 지나 漢末에 吳, 蜀, 魏, 즉 曹魏(曹操), 東吳(孫權), 蜀漢(劉備)으로 삼국이 쟁탈전을 벌임. 여기서는 蜀漢은 漢나라 혈통을 이어받아 정통으로, 吳와 魏는 僭位한 것으로 僞로 여긴 것임. 그러나 正史 陳壽의《三國志》는 魏를 정통으로, 羅貫中의《三國志演義》는 蜀漢을 정통으로 여기고 있음.
* **晉室不競**: 魏나라 말 대권을 가졌던 司馬炎(晉武帝)이 魏 元帝(曹奐)를 폐위하고 나라를 이어받아 晉나라를 세움. '不競'은 禪讓을 뜻함. 무제(사마염)는 禪讓의 명목으로 魏 元帝를 폐위하고 나라를 차지한 것임. 다투거나 싸우지 않고 나라를 차지하였음을 말함. '晉'과 '晋'은 혼용자. '不'은 다음의 음절 첫소리가 'ㄷ'이나 'ㅈ'으로 시작될 경우 '부'로 읽음.

161

腥塵漲霄　黃圖幅裂
성 진 창 소　황 도 폭 렬

腥(비릴 성: 肉-13)　黃(누를 황: 黃-12)
塵(티끌 진: 土-14)　圖(그림 도: 囗-14)
漲(불어날 창: 水-14)　幅(폭 폭: 巾-12)
霄(하늘 소: 雨-15)　裂(찢을 렬: 衣-12)

그 뒤로 비린내와 먼지가 하늘까지 팽창하면서, 황하의 판도는 그 폭이 갈기갈기 찢어지고 말았다.

* **腥塵漲霄**: '腥塵'은 짐승 비린내와 말발굽의 먼지. 극도의 혼란과 전쟁의 참혹함을 말함.
* **黃圖幅裂**: '黃圖'는 중국을 지칭하는 말. 黃河의 版圖. 北周 庾信의 〈哀江南賦〉에 "擁狼望于黃圖, 塡廬山於赤縣"이라는 구절이 있음. '幅裂'은 그림의 폭이 모두 찢어짐. 여기서는 晉나라가 西晉 말 匈奴의 劉淵 등이 대거 침략하여 懷帝(司馬熾)를 포로로 잡아가고 다시 愍帝(司馬鄴)까지 잡아가자 결국 멸망한 사건을 말함. 이를 永嘉之亂이라 함. 그 뒤 진나라는 도읍 洛陽을 버리고 남쪽 建康(南京)으로 내려와 元帝(司馬睿)가 다시 나라를 일으켜 왕통을 이어감. 이를 東晉이라 함. 그러자 북쪽 中原에는 五胡(匈奴, 鮮卑, 羯, 氐, 羌)가 난입하여 순식간에 16개 나라가 稱帝하여 소위 '五胡十六國'의 극심한 혼란기가 됨. 이를 '幅裂'이라 표현한 것임.

四閏醉夢 翻手得失
사 윤 취 몽 번 수 득 실

四(넉 사: 口-5)
閏(윤달 윤: 門-12)
醉(취할 취: 酉-15)
夢(꿈 몽: 夕-14)

翻(뒤집을 번: 羽-18)
手(손 수: 手-4)
得(얻을 득: 彳-11)
失(잃을 실: 大-5)

다시 사윤(四閏)이 술에 절어 꿈속에 취하니, 득실은 손바닥 뒤집듯 변해 버렸다.

* **四閏醉夢**: '四閏'의 '閏'은 정통이 아닌 帝位를 뜻함. 따라서 東晉(南京)의 뒤를 이은 남조 네 나라, 즉 宋(劉裕), 齊(蕭道成), 梁(蕭衍), 陳(陳霸先)은 모두가 각기 政變(쿠데타)을 일으켜 짧은 기간씩 나라를 이어간 것이므로 이렇게 표현한 것임. 한편 이들은 남쪽 온화하고 물산이 풍부한 환경에 안주하여 술과 향락으로 보냈으므로 이를 '醉夢'이라 표현한 것임. 아울러 당시 북쪽에는 鮮卑族 탁발씨(拓拔氏)가 北魏(拓拔珪. 平城 大同에 도읍하였다가 洛陽으로 천도)를 건국하고 북쪽을 통일하였으나 곧이어 東魏(拓拔元善, 鄴에 도읍)와 西魏(拓拔元寶炬, 長安에 도읍)로 분열되었으며, 다시 동위는 北齊(高洋, 鄴)로, 서위는 北周(宇文覺, 長安)로 분리됨. 이에 이 시대를 '南北朝'시대라 함.
* **翻手得失**: 손을 뒤집듯 쉽게 나라를 세우기도 하고 멸망하기도 함. '翻手'는 아주 쉽게 여김을 뜻함. 杜甫의 〈貧交行〉에 "翻手作雲覆手雨, 紛紛輕薄何須數? 君不見管鮑貧時交? 此道今人棄如土"라 함. '翻'은 '飜'의 이체자.

163

隋并唐取 可惜多累
수 병 당 취 가 석 다 루

隋(수나라 수: 阜-12) 可(옳을 가: 口-5)
并(어우를 병: 干-6) 惜(아낄 석: 心-11)
唐(당나라 당: 口-10) 多(많을 다: 夕-6)
取(취할 취: 又-8) 累(묶을 루: 糸-11)

이를 수(隋)나라가 병탄하여 통일하고 뒤이어 당(唐)나라가 취하였으니, 안타깝도다, 그 기간 고생도 많았다.

* **隋**: 文帝 楊堅이 세운 나라. 도읍은 大興(지금의 西安). 그는 작호가 隨國公이어서 국호를 '隨'로 정하였으나, 이는 '고정되지 못하다'는 뜻이 있다 하여 '隋'자를 만들어 나라 이름이 됨. 그는 북방 北齊를 멸하고 다시 남쪽 陳(後主 陳叔寶)나라까지 멸하여 270여 년간 분열되었던 남북조를 통일함.
* **唐**: 李淵이 세운 대국. 隋末 천하가 다시 군웅할거에 빠지자 당시 太原留守였던 唐國公 이연의 아들 李世民이 아버지에게 起兵을 요구, 이에 어쩔 수 없이 군사를 일으켜 長安을 점령하고 隋 恭帝를 세움. 당시 隋煬帝(楊廣)는 大運河를 만든 다음 남쪽 江都에서 환락에 빠져 돌아오지 않고 버티자 부하 宇文化及에 의해 피살됨. 이에 이연과 이세민은 작호 唐國公에서 나라 이름을 취하여 '唐'을 국호로 삼고 전국을 통일하여 대제국을 세움. 도읍은 長安.
* **可惜多累**: '多累'는 南北朝 및 隋末 혼란에 백성은 물론 나라를 세운 이들이 많은 고생을 하였음을 말함. '累'는 '고통을 겪다, 피로에 지치다' 등의 뜻.

164

季代逆旅 顚倒壞敗
계 대 역 려 전 도 괴 패

季(끝 계: 子-8) 顚(엎어질 전: 頁-19)
代(대신할 대: 人-5) 倒(넘어질 도: 人-10)
逆(거스를 역: 辵-10) 壞(무너질 괴: 土-19)
旅(군사 려: 方-10) 敗(패할 패: 攴-11)

당 왕조가 끝나 가던 시대에는 나그네처럼 나타난 오대십국(五代十國)이 거꾸로 엎어지고 파괴되어 무너졌다.

* **季代逆旅**: '季代'는 말엽, 말대, 말기. 唐나라 말 천하가 다시 '五代十國'의 다섯 왕조가 흥멸하고 전국 각지에 토호들이 칭제하여 10개 나라가 건국하는 등 극심한 혼란을 겪게 됨. 즉 당나라는 節度使 제도를 두어 지방을 다스렸는데 이들의 세력이 커지면서 중앙 정부를 압박하였고, 결국 朱溫(朱全忠)이 汴京(開封)에 도읍하여 唐은 망하고 말았음. 그러자 뒤를 이어 절도사들이 정변(쿠데타)을 일으켜 불과 52년 사이 後梁(朱溫), 後唐(李存勗, 洛陽), 後晉(石敬瑭, 汴京), 後漢(劉知遠, 汴京), 後周(郭威, 汴京)의 다섯 나라가 교체되었고, 지방에는 吳(楊行密, 揚州), 南唐(李昪, 徐知誥, 南京), 吳越(錢鏐, 杭州), 楚(馬殷, 長沙), 閩(王審知, 福州), 南漢(劉巖, 廣州), 前蜀(王建, 成都), 後蜀(孟知祥, 成都), 荊南(高季興, 荊州), 北漢 (劉崇, 太原) 등 10국이 雨後竹筍처럼 생겨났음. 이를 '五代十國'이라 함. '逆旅'는 나그네를 맞이하는 곳, 즉 旅館. '逆'은 '迎'과 같

은 뜻임. 李白의 〈春夜宴桃李園序〉에 "夫天地者, 萬物之逆旅: 光陰者, 百代之過客"이라 함. 여기서는 오대십국의 나라들을 지칭하는 말. 나그네처럼 수시로 쉽게 나라를 세우고 또한 쉽게 망해 사라졌음을 뜻함.

* **顚倒壞敗**: '顚倒'는 엎어지고 넘어짐. 《詩經》(齊風 東方未明)에 "東方未明, 顚倒衣裳. 顚之倒之, 自公召之!"라 함. '壞敗'는 파괴되고 패배함. 五代十國의 흥망성쇠가 극렬했음을 말함.

165

宋襲未振　奎影在野
송 습 미 진　　규 영 재 야

宋(송나라 송: 宀-7)　　奎(별 이름 규: 大-9)
襲(엄습할 습: 衣-22)　　影(그림자 영: 彡-15)
未(아닐 미: 木-5)　　在(있을 재: 土-6)
振(떨칠 진: 手-10)　　野(들 야: 里-11)

이를 송(宋)이 이어받아 제대로 떨쳐 일어나지 못하였지만, 규성(奎星)의 그림자는 황야에까지 비쳤다.

* **宋襲未振**: '宋'은 太祖 趙匡胤이 오대십국을 통일하여 이룩한 나라. 그 역시 宋軍節度使였는데 後周 恭帝 때 북쪽 거란을 막으러 나섰다가 도읍 汴京(開封)으로부터 불과 30리 거리의 陳橋驛에서 宿營을 하였을 때 이튿날 새벽 군사들이 갑자기 침실로 들이닥쳐 黃袍를 입히고 모시고 나가 연병장에 도열한 군사들 앞에 엎드려 황제를 외치며 정변(쿠데타)을 일으켜 본의 아니게 황제가 되었음. 이를 '陳橋驛政變'이라 함. 뒤이어 十國의 잔여 세력을 차례로 정벌하여 다시 통일을 이루었으나 자신까지 다섯 번 이어진 끊임없는 정변을 혁파하고자 '重文輕武', '强幹弱枝'의 정책을 채택함으로써 송나라는 武備를 경홀히 하게 됨. 따라서 송나라는 문풍은 크게 발전하였으나 대신 북방 민족(거란, 여진, 몽골)의 침략을 막아내지 못하여 큰 고통을 겪음. 이를 '未振'이라 표현한 것임. '襲'은 '承'의 뜻.

* **奎影在野**: '奎'는 성수(星宿) 이름. 이십팔수(二十八宿) 중 서방 백호칠수(白虎七宿)의 첫 번째 별자리 여섯 개의 별. 속칭 '魁星'이라고도 하며 천하 文運을 주재하는 吉星으로 여김. 오른손에는 朱筆을, 왼손에는 金印을, 왼발로는 斗星을 발길로 차는 형상이라 하여 '文曲星'이라고도 불림. 따라서 '奎影'은 奎星(魁星)이 文章, 書冊, 圖書, 文運을 상징하는 것으로, 송나라는 唐宋八大家의 古文運動 및 많은 학자들의 理學硏究 등으로 재야에서 문풍이 크게 홍성히 발전하였음을 뜻함.

166

金難已烈 蒙更穢社
금 난 이 렬 몽 갱 예 사

金(성 김, 쇠 금: 金-8)
難(어려울 난: 隹-19)
已(이미, 그칠 이: 己-3)
烈(세찰 렬: 火-10)
蒙(입을, 덮어쓸 몽: 艸-14)
更(고칠 경, 다시 갱: 曰-7)
穢(더러울 예: 禾-18)
社(토지의 신 사: 示-8)

여진족 금(金)나라의 난이 이윽고 극렬하였고, 몽고(蒙古)의 원(元)이 일어나 다시 사직을 더럽혔지만,

* **金難已烈**: '金'은 女眞族이 세운 나라. 송나라는 輕武主義에 젖어 군사력이 강하지 못하였으며, 그 때문에 우선 契丹族(遼, 耶律阿保機)과 羌族(西夏, 元昊)에게 시달림을 받아 국토가 깎이고 그들에게 많은 공물을 바쳐야 했음. 이에 새로 일어서는 女眞族(金, 完顔阿骨打)과 밀약을 맺고 遼를 협공하였으나, 송군은 성적을 거두지 못하였고, 금군이 요나라를 멸함. 그러자 금나라는 과거 요나라에게 바치던 공물의 몇 배를 자신들에게 바칠 것을 요구, 이에 송나라가 감당하지 못하자 이를 구실로 송나라 수도 汴京을 공격하여 徽宗과 欽宗을 포로로 하여 끌고 가 나라가 망함. 이를 靖康之禍라 하며 이때까지를 '北宋'이라 함. 뒤이어 북송의 유신들이 흠종의 아우 趙構(남송 첫 황제 高宗)를 세워 남쪽으로 피신하여 臨安(지금의 浙江 杭州)을 도읍으로 하여 나라를 이어가게 되었으며, 이를 '南宋'이라 함. '金'은 성씨일 경우 '김'으로 읽음.

* **蒙更穢社**: 남송은 뒤에도 금나라에게 끊임없이 고통을 당하다가 다시 몽골의 테무친(鐵木眞) 칭기즈칸(成吉思汗)이 몽고칸국(蒙古汗國)을 세우고 금을 멸한 뒤 쿠빌라이(忽必烈)칸이 元으로 국호를 바꾼 다음 남송을 압박, 강한 군사력을 앞세워 밀고 들어와 항주를 공략하여 恭帝를 포로로 함. 이에 文天祥, 陸秀夫 등이 어린 趙昺을 황제로 세워 맞섰으나 廣東 해상에서 최후를 마치고 멸망함. '更'은 '고치다'의 경우 '경'으로 읽음.

167

朱氏奮呼 霽景稍嚴
주 씨 분 호 제 경 초 엄

朱(붉을 주: 木-6)
氏(성씨 씨: 氏-4)
奮(떨칠 분: 大-16)
呼(부를 호: 口-8)
霽(갤 제: 雨-22)
景(볕 경: 日-12)
稍(줄기 끝 초: 禾-12)
嚴(엄할 엄: 口-20)

주원장(朱元璋)이 분기탱천하여 부르짖으며 일어나 명(明)나라를 세우니, 비 갠 경색처럼 조금씩 엄정함을 되찾으면서,

* **朱氏奮呼**: '朱氏'는 朱元璋. 원 말에 다시 천하가 혼란에 빠지자 郭子興 군벌에 부장으로 있던 주원장이 반원 세력을 규합하여 元 順帝를 몰아내고 한족의 명나라를 세움. 처음 南京을 도읍으로 하였으나 燕王 成祖(朱棣)가 조정에 불만을 품고 남경을 쳐서 惠帝를 몰아내고 즉위하여 도읍을 燕京(北京)으로 옮김. 이를 '靖難之變'이라 함.
* **霽景稍嚴**: '霽景'은 비가 개어 맑은 경색을 뜻함. 唐 陳子昂의 〈晦日宴高氏林亭〉 시에 "山河春而霽景華, 城闕麗而年光滿"이라는 구절이 있음. 그동안 북방 이민족에게 오랫동안 고통을 받던 환경을 마감하였음을 말함. '稍嚴'은 조금씩 엄정해짐.

168

庶幾悔禍　胡復陸沈

서 기 회 화　호 부 륙 침

庶(여러 서: 广-11)
幾(기미 기: 幺-12)
悔(뉘우칠 회: 心-10)
禍(재앙 화: 示-14)
胡(되, 오랑캐 호: 肉-9)
復(돌아올 복: 彳-12)
陸(뭍 륙: 阜-11)
沈(가라앉을 침, 성씨 심: 水-7)

지난날의 재앙을 후회하며 바르게 가기를 바라던 중, 오랑캐 만주족(滿洲族)이 나타나 다시 대륙이 침몰되었다.

* **庶幾悔禍**: '庶幾'는 바람, 희망함, 기대함. '悔禍'는 북방 이민족에게 입었던 殃禍.
* **胡復陸沈**: '胡'는 북방 민족을 일컫는 말. 여기서는 女眞의 후예 滿洲族(滿族)을 가리킴. 建州女眞의 수령 누르하치(愛新覺羅 努爾哈赤)가 여진을 통일하여 後金을 세우고(1616) 盛京(瀋陽, 沈陽)을 도읍으로 함. 그 아들 홍타이지(皇太極, 淸太宗)가 뒤를 이어 국호를 淸으로 바꾸고 먼저 조선을 침략 굴복시킨 후(丙子胡亂, 1636) 적극적으로 명나라 공략에 나섬. 그 뒤를 이은 福臨(世祖)이 다르곤(多爾袞)의 섭정 아래 명과 맞섰을 때 명나라는 李自成의 난으로 北京이 함락되자, 山海關을 지키던 吳三桂가 청병에 투항함.이에 思宗(朱由檢, 崇禎)이 자결하고 明이 망하였으며 청이 중국을 차지하여 다시 이민족이 들어서게 됨. '陸沈'은 '陸沉'으로도 표기하며, 매몰시킴, 침몰시킴을 뜻함. 《史記》(滑稽傳) "時坐席中, 酒酣, 據地歌曰:「陸沉於俗, 避世金馬門.」"의 〈索隱〉에 "謂無水而沉也"라 함. '沈'은 성씨일 경우 '심'으로 읽음.

169

皐夔摯說 旦奭尙亮
고 기 지 열 단 석 상 량

皐(언덕 고: 自-12)
夔(조심할 기: 夊-20)
摯(잡을 지: 手-15)
說(말씀 설, 기쁠 열, 달랠 세: 言-14)
旦(아침 단: 日-5)
奭(클 석: 大-15)
尙(오히려, 숭상할 상: 小-8)
亮(밝을 량: 亠-9)

고요(皐陶), 기(夔), 지(摯, 伊尹)와 부열(傅說), 그리고 주공(周公) 희단(姬旦)과 소공(召公) 희석(姬奭)과 강태공 여상(呂尙)이며 충무후(忠武侯) 제갈량(諸葛亮) 같은,

* **皐**: 皐陶. '咎繇'로도 표기하며 偃姓. 舜의 신하로 刑獄을 담당하였던 대신. 《尙書》에 〈皐陶謨〉편이 있음.
* **夔**: '躨'로도 표기하며 舜임금 때의 음악을 담당하였던 樂官이며 大臣.
* **摯**: 伊尹을 가리킴. 殷나라 湯王의 재상. 이름이 摯였음. 《帝王世紀》(4)에 "伊尹名摯, 爲湯相, 號阿衡"이라 함. 湯이 有莘氏의 딸을 아내로 맞을 때 媵臣으로 따라가면서 조리 기구를 짊어지고 가서 주방장이 되어 湯에게 접근하였음. 뒤에 탕에게 발탁되어 재상에 올랐으며 夏의 末王 桀을 쳐서 殷왕조를 일으키는 데에 큰 공을 세웠음. 그 아들 伊陟 역시 역사 기록에 보일 정도로 父子가 모두 은왕조를 위해 공헌을 하였음. 《史記》(殷本紀)를 참조할 것.
* **說**: 傅說. 殷 高宗(武丁)이 꿈에 보고 기쁜 마음을 느껴 說(悅)이라 불렀으며 뒤

에 傅巖에서 그를 찾아내어 傅說이라 부름. 뒤에 고종이 재상으로 삼아 은나라 중흥을 일으킴. 《帝王世紀》(4)에 "武丁卽位, 諒闇居凶廬, 百官總己聽於冢宰, 三年不言. 旣免喪, 猶不言. 群臣諫, 武丁於是思建良輔. 夢天賜賢人, 姓傅名說, 乃使白公寫其像, 求諸天下. 見築者胥靡衣褐帶索, 執役於虞虢之間, 傅巖之野, 名說, 登以爲相"이라 함. 《尙書》에 〈說命〉편이 있음. '說'은 '說明' 등 '말하다'의 경우 '설', '遊說'와 같은 경우 '달래다, 유세하다'의 '세'로 읽음.

* **旦**: 周公 姬旦. 文王(姬昌)의 아들이며 武王(姬發)의 아우. 成王(姬誦)의 삼촌. 周初 文物制度를 完備한 聖人으로 알려져 있으며 뒤에 曲阜 지역을 封地로 받아 魯나라 시조가 되었으나 어린 성왕을 보필하여 섭정하느라 자신을 대신하여 아들 伯禽을 노나라에 보냄. 《史記》(周本紀 및 魯周公世家) 등을 참조할 것.
* **奭**: 召公 姬奭. 周公과 同姓의 혈족. 召公에 봉해졌으며 뒤에 燕(지금의 북경)나라에 봉해져 燕나라의 시조가 됨. 《史記》(燕召公世家) 참조.
* **亮**: 諸葛亮. 자는 孔明. 漢末 瑯琊 陽都人. 南陽에 은거하여 스스로 밭을 갈며 자신을 管仲과 樂毅에 비교하여 사람들이 그를 臥龍先生이라 불렀음. 뒤에 蜀漢 劉備의 三顧草廬로 불려가 天下三分之策을 정하고 劉備를 도와 荊州와 益州를 차지하여 吳, 蜀, 魏 三國鼎立을 이루었음. 劉備의 遺囑에 의해 그 아들 劉禪을 도와 〈出師表〉를 쓰고 北伐을 시도했으나 五丈原에서 생을 마침. 죽은 뒤 武鄕侯에 봉해졌으며 시호는 忠武. 《三國志》(35)에 傳이 있음.

170

良弼際遇 展抱偉壯
량 필 제 우 전 포 위 장

良(선량할 량: 艮-7)

弼(도울 필: 弓-12)

際(즈음 제: 阜-14)

遇(만날 우: 辵-13)

展(펼 전: 尸-10)

抱(안을 포: 手-8)

偉(클 위: 人-11)

壯(씩씩할 장: 士-7)

훌륭한 보필을 만나고 대우하면, 위대하고 장대하게 품었던 꿈을 펼칠 수 있었을 것이다.

* **良弼際遇**: '良弼'은 훌륭한 보필. '際遇'는 만나고 우대함. 劉備가 諸葛亮을 찾아간 三顧草廬 등을 뜻함.
* **展抱偉壯**: '展'은 펼침. '抱'는 抱負. '偉壯'은 위대하고 장엄함.

171

昔者朝鮮 檀始建國
석 자 조 선 단 시 건 국

昔(옛 석: 日-8)
者(놈 자: 老-9)
朝(아침 조: 月-12)
鮮(고울 선: 魚-17)
檀(박달나무 단: 木-17)
始(처음, 비로소 시: 女-8)
建(세울 건: 廴-9)
國(나라 국: 口-11)

옛날 우리 조선(朝鮮)은 단군(檀君)께서 비로소 나라를 세우셨고,

* **昔者朝鮮**: '朝鮮'은 우리의 옛 국호. 檀君이 다스리던 檀君朝鮮, 혹 古朝鮮.
* **檀始建國**: 《三國遺事》(古朝鮮)에 "《古記》云: 昔有桓因(謂帝釋也)庶子桓雄, 數意天下, 貪求人世. 父知子意, 下視三危太伯, 可以弘益人間, 乃授天符印三箇, 遣往理之. 雄率徒三千, 降於太伯山頂(卽太伯, 今妙香山)神壇樹下, 謂之神市. 是謂桓雄天王也. 將風伯雨師雲師, 而主穀主命主病主刑主善惡凡主人間三百六十餘事, 在世理化. 時有一熊一虎, 同穴而居, 常祈于神雄, 願化爲人. 時神遣靈艾一炷, 蒜二十枚曰:「爾輩食之, 不見日光百日, 便得人形.」熊虎得而食之, 忌三七日, 熊得女身, 虎不能忌, 而不得人身. 熊女者, 無與爲婚, 故每於壇樹下, 呪願有孕, 雄乃假化而婚之, 孕生子, 號曰'壇君王儉'. 以唐高(堯)卽位五十年庚寅(唐堯卽位元年戊辰, 則五十年丁巳, 非庚寅也, 疑其未實), 都平壤城(今西京), 始稱朝鮮. 又移都於白岳山阿斯達. 又名弓(一作方)忽山, 又今彌達. 御國一千五百年. 周虎(武)王卽位己卯, 封箕子於朝鮮, 壇君乃移於藏唐京, 後還隱於阿斯達爲山神, 壽一千九百八歲"라 함.

箕設八條 幸破荒僻
기 설 팔 조 행 파 황 벽

箕(키 기: 竹-14)
設(베풀 설: 言-11)
八(여덟 팔: 八-2)
條(가지 조: 木-11)
幸(다행 행: 干-8)
破(깨뜨릴 파: 石-10)
荒(거칠 황: 艸-10)
僻(후미질 벽: 人-15)

기자(箕子)가 팔조금법(八條禁法)을 만들어, 다행히 황량하고 편벽한 환경에서 깨어날 수 있었다.

* **箕設八條**: '箕子'는 殷(商)나라 帝乙의 아들. 紂王의 叔父, 혹 庶兄이라고도 함. 太師를 지냈으며 箕는 땅이름. 子는 작위. 이름은 胥余. 紂가 무도한 짓을 하자 이를 極諫하고 항의하다가 奴隸가 되어 갇힘. 뒤에 武王이 紂를 멸하고 朝鮮에 봉한 것이라 함. '八條'는 八條禁法을 가리킴. 《史記》(宋微子世家)에 "於是武王乃封箕子於朝鮮而不臣也"라 하였고, 《漢書》(地理志)에 "殷道衰, 箕子去之朝鮮, 敎其民以禮義, 田蠶織作. 樂浪朝鮮民犯禁八條: 相殺以當時償殺: 相傷以穀償: 相盜者男沒入爲其家奴, 女子爲婢, 欲自贖者, 人五十萬. 雖免爲民, 欲猶羞之, 嫁取無所讎, 是以其民終不相盜, 無門戶之閉, 婦人貞信不淫辟. 其田民飮食以籩豆, 都邑頗放效吏及內郡賈人, 往往以懷器食. 郡初取吏於遼東, 吏見民無閉臧, 及賈人往者, 夜則爲盜, 俗稍益薄. 今於犯禁浸多, 至六十餘條. 可貴哉, 仁賢之化也! 然東夷天性柔順, 異於三方之外, 故孔子悼道不行, 設浮於海, 欲居九夷, 有以也夫!"라 함.
* **幸破荒僻**: 箕子가 금법을 만들어 백성을 교화시켜 문명화하였음을 말한 것.

173

滿逼韓峙 轉尤碎零
만 핍 한 치 전 우 쇄 령

滿(찰 만: 水-14)
逼(닥칠 핍: 辵-13)
韓(나라 이름 한: 韋-17)
峙(우뚝 솟을 치: 山-9)
轉(구를 전: 車-18)
尤(더욱, 탓할 우: 尢-4)
碎(부술 쇄: 石-13)
零(영락할 령: 雨-13)

그런데 위만(衛滿)이 우리 삼한(三韓)과 대치하다가, 전변하여 더욱 부서져 영락하고 말았다.

* **滿逼韓峙**: '滿'은 衛滿. 箕子朝鮮의 準王을 축출하고 위만조선을 세운 인물. 중국 漢 高祖(劉邦)가 천하를 통일한 뒤 盧綰을 燕王에 봉하였으나 그가 모반하고 匈奴로 달아나자 이 틈에 위만은 연의 망명자 천여 명을 이끌고 浿水를 건너 조선으로 망명하여 서쪽 변방을 지키는 임무를 부여받음. 그러나 점차 세력을 키워 수도 평양으로 들어와 준왕을 쫓아내고 스스로 朝鮮王이 됨. '韓'은 三韓. 馬韓, 辰韓, 弁韓. 여기서는 우리 疆域을 가리킴. 《史記》(朝鮮列傳)에 "朝鮮王滿者, 故燕人也. 自始全燕時嘗略屬眞番·朝鮮, 爲置吏, 築鄣塞. 秦滅燕, 屬遼東外徼. 漢興, 爲其遠難守, 復修遼東故塞, 至浿水爲界, 屬燕. 燕王盧綰反, 入匈奴, 滿亡命, 聚黨千餘人, 魋結蠻夷服而東走出塞, 渡浿水, 居秦故空地上下鄣, 稍役屬眞番·朝鮮蠻夷及故燕·齊亡命者王之, 都王險"이라 함.
* **轉尤碎零**: '碎零'은 부서지고 흩어짐. 고조선을 지나 零落한 채로 시간이 길게 흘렀음을 말함.

174

尺寸似戲　句濟差勝
척 촌 사 희　구 제 차 승

尺(자 척: 尸-4)
寸(마디 촌: 寸-3)
似(같을 사: 人-7)
戲(연극 희: 戈-17)
句(글귀 구: 口-5)
濟(건널 제: 水-17)
差(어긋날 차: 工-10)
勝(이길 승: 力-12)

그 좁은 땅에서 마치 놀이하듯, 고구려와 백제가 승패를 다투다가,

* **尺寸似戲**: '尺寸'은 한반도의 좁은 땅을 의미함. '似戲'는 마치 놀이하듯 좁은 땅을 할거함. '戲'는 이체자.
* **句濟差勝**: '句濟'는 高句麗와 百濟. '差勝'은 승패를 번갈아 함.

175

羅彊末合　麗承俗陋

라 강 말 합　려 승 속 루

羅(새그물, 비단, 펼칠 라: 网-19)　麗(고울 려: 鹿-19)

彊(굳셀 강: 弓-16)　承(받들 승: 手-8)

末(끝 말: 木-5)　俗(풍속 속: 人-9)

合(합할 합: 口-6)　陋(누추할 루: 阜-9)

신라가 강하여 그 말기에 통합하였고, 고려가 그 속루(俗陋)함을 이어받았다.

* **羅彊末合**: '羅'는 新羅. '彊'은 '强'과 같음. 신라가 삼국 말에 통일함을 뜻함.
* **麗承俗陋**: '麗'는 高麗. 통일신라 후에 後三國을 거쳐 王建이 고려를 건국함. '俗陋'는 비속(鄙俗)하고 누열(陋劣)함. 속되고 천함.

176

猗歟我邦 名敎隆茂
의 여 아 방 명 교 륭 무

猗(아름다울 의: 犬-11)
歟(어조사 여: 欠-18)
我(나 아: 戈-7)
邦(나라 방: 邑-7)
名(이름 명: 口-6)
敎(가르칠 교: 攴-11)
隆(클 륭: 阜-12)
茂(우거질 무: 艸-9)

아름답도다, 우리나라여, 이름난 교화가 융성하고도 무성하였도다.

* **猗歟我邦**: '猗歟'는 감탄사.
* **名敎隆茂**: '隆茂'는 융성하고 풍부함. 敎化가 아주 잘 이루어진 문명국이었음을 말함.

177

率普胥溺 碩果獨存
솔 보 서 닉 석 과 독 존

率(거느릴 솔, 비율 률: 玄-11) 碩(클 석: 石-14)
普(널리 보: 日-12) 果(열매 과: 木-8)
胥(서로 서: 肉-9) 獨(홀로 독: 犬-16)
溺(빠질 닉, 오줌 뇨: 水-13) 存(있을 존: 子-6)

모두가 이어서 서로 물에 빠져들었지만, 그래도 큰 인재가 되어 홀로 독립하여 존재하여라.

* **率普胥溺**: '率普'는 '모두가 한결같이'의 뜻. '胥溺'은 서로가 부여잡고 함께 물에 빠져 허우적거림. 《詩》(大雅 桑柔)에 "其何能淑? 載胥及溺"이라 하였고, 鄭玄의 〈箋〉에 "胥, 相: 及, 與也. 女若云此於政事, 何能善乎? 則女君臣, 皆相與陷溺於禍難"이라 함. 여기서는 당시 이미 나라가 기울어 독립을 잃고 일제에 의해 압제를 당하고 있음을 비유한 것으로 보임. 한편 '率'은 '比率'(비율)에서처럼 '율'로도 읽음. '溺'은 소변을 뜻할 경우 '尿'를 대신하여 '뇨'로도 읽음.
* **碩果獨存**: '碩果'는 큰 열매. 훌륭한 인재를 비유함. 《周易》(剝)에 "上九: 碩果不食, 君子得輿, 小人剝廬."라 하였고, 高亨의 注에 "喻貨利在前而不取"라 함. 한편 晉 左思의 〈魏都賦〉에 "碩果灌叢, 圍木竦尋"이라 하였고, 唐 李庾의 〈西都賦〉에는 "挺碩果於華林, 育豐蔬於中園"이라 함. '獨存'은 홀로 독립하여 존재함. 《周易》(大過 象辭)에 "獨立不懼, 遯世无悶"이라 함.

178

宜各惕勉 倍加白堅
의 각 척 면 배 가 백 견

宜(마땅 의: 宀-8)
各(각각 각: 口-6)
惕(두려워할 척: 心-11)
勉(힘쓸 면: 力-9)
倍(곱 배: 人-10)
加(더할 가: 力-5)
白(흰 백: 白-5)
堅(굳을 견: 土-11)

의당 각기 척면(惕勉)하여, 희고 단단한 모습 그대로 곱절로 노력해야 하리라.

* **惕勉**: 삼가면서 힘씀. 《周易》(乾)에 "九三: 君子終日乾乾, 夕惕若, 厲, 无咎"라 하였고, 〈音義〉에 "惕, 怵也. 懼也, 危也"라 함.
* **白堅**: 玉의 희고 단단함을 비유함. 《詩》(召南 野有死麕) "白茅純束, 有女如玉"의 〈鄭箋〉에 "如玉者, 取其堅而潔白"이라 함.

179

今抄見聞　冀基早識
금 초 견 문　기 기 조 식

今(이제 금: 人-4)
抄(뽑을 초: 手-7)
見(볼 견, 드러낼 현: 見-7)
聞(들을 문: 耳-14)
冀(바랄 기: 八-16)
基(터 기: 土-11)
早(새벽, 일찍 조: 日-6)
識(알 식, 적을 지: 言-19)

지금 듣고 본 것들을 뽑았으니, 이를 기초로 하여 서둘러 알아 두기를 바라노라!

* **今抄見聞**: '抄'는 抄錄함. 뽑아서 선별함. '抄'와 '鈔'는 통용자.
* **冀基早識**: '冀'는 '바라다, 희망하다, 부탁하다'의 뜻. '識'는 '기록하다'의 경우 '지'로 읽음. '早'는 蚤의 이체자.

180

嗟汝小兒 誦習毋斁
차 여 소 아 송 습 무 역

嗟(탄식할 차: 口-13) 誦(욀 송: 言-14)
汝(너 여: 水-6) 習(익힐 습: 羽-11)
小(작을 소: 小-3) 毋(말 무: 毋-4)
兒(아이 아: 儿-8) 斁(싫어할 역, 섞을 두: 攴-17)

아! 너 아직 어린아이여, 외우고 익혀 싫증을 내지 말도록 하라!

* **嗟汝小兒**: '嗟'는 감탄사. '汝'는 인칭대명사. '너'. '爾', '你'와 같음.
* **誦習毋斁**: '誦習'은 외우고 익힘. '毋'는 금지 명령. '斁'는 싫어함, 싫증을 냄, 게을리함, 염증을 냄. 《詩經》(周頌 葛覃)에 "是刈是濩, 爲絺爲綌, 服之無斁"라 하였고, 〈集傳〉에 "斁, 厭也"라 함. 참고로 '斁'의 원음은 '두'이나 〈集傳〉의 "音亦叶. 弋灼反"에 따라, 《詩經諺解》에는 '역'으로 읽었음.

丁巳至
月書贈
昌鉉初
度

丁巳至月, 書贈昌鉉初度.
정 사 지 월 서 증 창 현 초 도

丁巳년 至月, 창현의 첫돌 잔치에 써서 주노라.

* **丁巳**: 1917년.
* **至月**: 동짓달을 일컫는 말. 음력 11월. 大雪과 冬至가 들어 있는 달. 仲冬이며 冬至가 들어 있어 '至月'이라 하며, 동지를 지나면 다시 날이 길어지기 시작한다 하여 復月이라고도 함.
* **昌鉉**: 申昌鉉(1916~2004). 신익희의 맏형 申揆熙의 손자. 따라서 해공의 從孫에 해당함. 신익희가 환국(1945. 12. 1.)한 직후부터 서거(1956. 5. 5.)할 때까지 비서, 국회의장 수석비서관 등으로 최측근에서 보좌하였으며《해공신익희선생연설집》(1961),《海公 申翼熙》(1972),《내가 모신 해공신익희선생》(1989) 등을 저술하기도 함.《일분몽구》는 바로 이 사람에게 써 준 책임.
* **初度**: 첫돌. 민간 풍속의 하나로 초도에 아이의 장래를 축원하며 잔치를 치르는데, 이를 初度宴이라고 함. 돌상에 갖가지 물건을 올려놓고 골라잡는 물건을 보고 장래를 예측하고, 조부나 부친이 축사를 지어 면려의 말을 일러 주기도 함. 이에 해공이《一分蒙求》를 지어 돌상에 올려놓은 것임.

忠貞世篤
충 정 세 독

忠과 貞을 대대로 독실히 실천하다.

발문(跋文)

《일분몽구(一分蒙求)》의 발간을 해공 신익희(海公 申翼熙) 선생님 영위(靈位)에 고(告)합니다.

《일분몽구》는 1917년 해공께서 그 전년(前年)에 태어난 맏형 규희(揆熙)의 손자 즉 해공에게는 종손(從孫)이 되는 창현(昌鉉)의 돌상에 올려놓을 선물로 쓰신 몽학서(蒙學書)입니다. 창현가(昌鉉家)에서는 지난 100년 이상 이 책을 가보(家寶)로 비장해 왔었는데 2021년 4월 창현의 아들 학영(學泳)이 '(사)해공신익희선생기념사업회'에 기증하심으로써 비로소 이 책의 존재가 드러났고, 마침내 세상에 반포(頒布)하기 위해 출간을 하게 되었습니다.

6형제의 막내셨던 해공께서는 유소년 시절 경기도 광주군(廣州郡) 초월면(草月面) 서하리(西霞里) 본가(本家)에서 31년 연상인 맏형 규희로부터 한학을 수학(受學)하였습니다. 기록에 따르면, 해공은 8, 9세 때에 이미《시전(詩傳)》을 읽기 시작하여 당시 규희의 친구인 외부대신(外部大臣) 이도재(李道宰)가 그 집을 방문하였다가 어린 해공이 공부하는 모습을 보고, “《시(詩)》의 진풍(秦風) 사마편(駟馬篇)과 소융편(小戎篇) 두 편을 암송하고 그 뜻을 해석할 수 있겠는가?”라고 묻자, 해공은 신바람이 나서 두 편을 모두 외우고 뜻을 말해 이 대신은 신기해하며 돌아갔는데, 그다음 날 일부러 하인을 보내어 청(靑), 홍(紅) 딱지가 붙은 두루마리 종이와 향내가 물씬 나는 향묵(香墨), 그리고 좋은 붓을 보내왔다고 합니다. 그리고 해공은 글씨 또한 명필이어서 동네 어른들이 그의 묵자(墨字)를 받아가곤 했다는 기록이 있는 것으로 보아 해공은 분명히 어릴 때부터 그 두뇌와 재주가 남달리 뛰어났던 것 같습니다.

맏형 규희는 막내 동생에 대한 교육을 경사자전(經史子傳)에 그치지 않고 서울로 보내어 관립 한성외국어학교 영어과에 입학시켜 신학문을 공부하게 했으며, 나아가 일본 와세다대학 정경학부 유학까지 가도록 격려하고 노자(路資)를 마련해 주었습니다. 이처럼 연령상으로 아버지뻘 되시는 맏형은 해공의 학문과 인격의 스승이셨다고 생각됩니다.

해공이 이《일분몽구》를 쓰신 시기는 그가 와세다대학을 갓 졸업하고 중동학교(中東學校)에 잠시 취직하였다가 보성법률상업학교(보성전문 전신) 정교수로 발령받아 비교정부론, 만국공법, 재정학 등을 전담하여 눈코 뜰 새 없이 바빴던 때였고, 또한 어머님을 모시고 바로 손위의 형님이신 재희(宰熙)의 가족과 자신의 가족 등 여덟 식구가 서울 재동(齋洞)에 셋집을 얻어 협소하게 사시던 때였습니다.

시간적으로나 공간적으로나 도저히 이 같은 책을 집필할 수 있는 형편이 되지 못하는 상황이었습니다. 그럼에도 불구하고 해공은 아마도 식구들이 잠들어 있는 미명(未明)에 홀로 일어나 차가운 머리와 뜨거운 가슴으로 이 책을 썼을 것입니다. 이때는 바로 해공께서 독립운동을 위해 중국으로 망명(1919)하시기 2년 전이었습니다.

해공의 친필인 동시에 묵적(墨跡)이기도 한 이 《일분몽구》를 기증받아 처음으로 보게 되었을 때 '기념사업회'가 느낀 놀라움과 기쁨은 이루 다 형언할 수가 없습니다. 글자 하나 훼손됨이 없이 100년 이상 완전무결하게 보존되어 온 것이 놀라웠고, 평소 해공의 휘호 한 점만 새로 찾아내어도 환호해온 저희로서는 해공이 청년 시절에 쓴 1,440자가 고스란히 담겨 있는 한 권의 책을 통째로 얻었다는 사실이 믿기지 않았습니다.

우선 그동안 이 책이 없어지지 아니하고 오늘에 전해진 책의 생잔역사(生殘歷史)를 보면 대략 다음과 같습니다.

우리나라에서 지난 100년 세월은 간단하지 않았습니다.

앞서 말한 바와 같이 이 책《일분몽구》는 해공이 맏형 규희의 귀한 장손, 즉 해공의 종손(從孫)이 출생하자, 그로부터 1년 후인 1917년 11월 이전에 책을 완성하고 장정(裝幀)까지 마무리해서 본가에 계신 규희에게 보냈습니다. 창현의 회고에 의하면 그가 자라서 천자문을 떼자 "할아버지(규희)께서 한밤중에 책탁자 깊숙이에서 이《일분몽구》를 꺼내시어 '왜경(倭警)이 이 책을 보면 압수해 갈 것이니, 빨리빨리 익히도록 하라'고 서두르시어, 하루에 32자씩 공부를 하였다" 고 하였으니, 초기에는 책을 창현의 조부 규희께서 직접 보관하셨던 것 같습니다.

창현이 자라기도 전인 1919년 3월 초, 해공은 3·1운동으로 지명수배를 받았고 그 직후 중국으로 망명하였으므로 분명히 본가에 대한 가택수색이 있었을 것이며 그 후에도 독립운동가들과의 접촉 여부를 캐기 위해 이 집안에 대한 수색이 그치지 않았을 텐데, 규희가 그때마다 위기들을 무사히 넘긴 것으로 추측됩니다.

그러다가 1925년 을축대홍수(乙丑大洪水)의 수재가 서하리 본가까지 덮쳤을 때는 마침 사랑채만은 침수를 면하여, 그 서고(書庫)의 문집들은 피해가 없었다고 합니다.

일제가 발악을 하던 때인 1939년 규희와 그의 외아들 정균(鼎均: 창현의 아버지. 해공과 함께 한성외국어학교를 졸업한 두 살 위 조카)과 손자 창현 등 일가는 왜놈들의 등쌀에 견디지 못해 고향을 떠나 서울 왕십리 빈민촌에 5칸짜리 집을 마련하여 4대(代)가 함께하는 대가족이 이리로 거처를 옮길 수밖에 없었다고 합니다. 이때 서하리 본가를 동네 친지들에게 맡기면서 책도 사랑채 서고에 그대로 두었는데, 고맙게도 이들 친지들이 근 10년간 가옥과 서고를 온전히 지켜주었다고 합니다.

1950년 6·25전쟁이 발발하자 국회의장 수석비서관이었던 창현만은 해공을 따라 남하하였고, 정균(그의 부친 규희는 1943년에 돌아가심)은 며느리(창현의 부인)와 손자 학영 등 나머지 식구들을 데리고 광주 본가로 피난을 갔었는데 인민군이 밀어닥쳐 적치하(赤治下)에 들어가고 말았습니다.

당시 다섯 살이었던 학영의 기억에 따르면, 인민군들은 "남한 정부 요인의 가족이라는 이유로 어른들을 결박하여 무언가를 문초하는 등 만행이 잦았고, 우리에겐 그들을 제어할 아무런 수단이 없었으나, 우연인지 혹은 그들에게 무슨 다른 생각이 있었는지 서고의 고서(古書)에는 손을 대지 않았다"고 합니다.

인민군들은 유엔군의 인천상륙작전이 성공하자 "우리 가족들을 총살하려고 했으나 동네 주민의 도움으로 급히 피신할 수 있었고, 그들은 우리를 내버려 둔 채 허둥지둥 철수하였다"고 합니다.

2002년 12월에는 안타깝게도 본가에 화재가 났습니다. 마침 연로한 창현이 서울과 광주를 오가며 생활하고 있던 차에 화재 당시 본가에 머물고 있었는데, 불은 삽시간에 본채를 삼키고 한 사람의 인명까지 앗아 갔으나 불길이 사랑채로 건너 붙기 전에 동네 주민들의 분투로 진화되어 서고는 무사하였다고 합니다.

그래도 화재로 인해 본가가 폐허가 되어 버린지라 학영은 불안을 느껴 사랑채 서고의 책들을 모두 서울 자신의 아파트로 옮겼고, 그 후 서너 차례 이사를 하면서 수십 상자의 책들은 "당연히 모시고 다녀야 할 선대의 유품으로서" 다른 이삿짐에 앞서 먼저 점검하고 조심을 다해 옮기고 보관해 왔다고 합니다.

이렇게 하여 그 가운데서 이 책이 살아남게 된 것이니, 이 책의 힘들고 고달픈 유전(流傳)은 집안 가족의 근대사를 그대로 간직하고 있었다고 할 것입니다.

이 책을 기증받은 뒤, 한문 문헌에 밝지 못한 저희 '기념사업회'가 호기심으로 책장을 넘기며 살펴보는 동안 기이하게도 "단시건국(檀始建國: 단군이 비로소 나라를 세우다)", "구제차승(句濟差勝: 고구려와 백제가 승리를 다투다)", "청구율곡(青丘栗谷: 우리나라의 이율곡 선생)" 등 우리 역사와 관련된 구절을 발견하고, 혹시나 이 책이 중국의 어느 원전을 필사(筆寫)한 것이 아니라 해공이 직접 창작하신 것이 아닌가 하는 의문이 부푼 기대와 함께 피어올랐습니다.

저희는 흥분되는 가슴을 쓸어내리며 한국 사계 굴지의 한문학자 몇 분에게 이 책의 영인본을 보내어, 이 책이 혹시 해공의 창작인지 여부를 감정해 줄 것을 의뢰하며 자문을 구하였습니다. 돌아온 대답은 한결같았습니다. 즉 "100% 장담은 할 수 없지만, 99% 해공의 창작인 것 같다. 해공의 실력과 성실성이라면 1년 이내의 단기간에도 저작이 가능할 수 있다"는 결론이었습니다.

책을 감정해 주신 분 중에 임동석(林東錫) 건국대 명예교수에게 이 책에 대한 해제(解題)를 포함한 역주본(譯註本) 원고를 부탁하자, "해공 같은 대인의 저작을 감히 올바르게 풀어낼 자신이 없다"고 고사(固辭)하며 망설였으나 저희의 간청 끝에 결국 허락을 하여 함께 작업을 논의하게 되었습니다.

이에 '기념사업회'는 2021년 10월, 임시이사회를 열고《일분몽구》를 간행키로 의결하였습니다. 이사회에서는 해공이 몸소 쓰신 이 책의 깊은 내용과 해공의 높은 인격을 선양하는 의미에서도 간행을 추진하되, 혹 그래도 다른 가능성 1%에도 유념하여 해공에 의한 창작 여부에 대한 최종 확인은 미래의 과제로서 전문가들에게 맡겨 두기로 하고, 일단은 해공의 찬서(撰書)로 해서 출판을 하기로 의견을 모았습니다. 필요한 경비는 모금에 의거하여 조달키로 하며, 출판사는 해공의 존함에 걸맞도록 일조각(一潮閣)을 선정하기로 하였습니다. 하지만 모금이 쉽지 않은 일일 것이라 언제 출판이 가능할는지 막연하였습니다.

그런데 해가 바뀌면서 해공께서 천상(天上)에서 돌보심인지 "출판비 일체를 부담할 것이니 걱정하지 말라"는 분이 나타났습니다. 그는 창현의 둘째 사위이며 자수성가로 '㈜경풍약품'을 일으킨 기업가 지춘호(池春昊) 회장입니다.

경비 문제가 이렇게 일시에 해결되자 이제는 큰 어려움 없이 '일조각'의 전문적인 편집 및 디자인을 거쳐 2022년 8월 출간을 보게 되었고, 책이 나오면 책을 알리기 위한 출판기념회도 가질 예정입니다.

한편 지춘호 회장님은 출간비를 부담한 데 이어 2022년 4월 기념사업회의 재정적 불편을 덜어 줄 목적으로 지원금 5억 원을 추가로 희사하였습니다.

책이 저술되고, 책을 간수하고, 기증하고, 출판이 가능하도록 비용

까지 마련한 곳은 결국 창현가(昌鉉家)입니다. 오롯이 창현가의 공덕에 힘입어 찬서 105년 만에 진기한 해공의 책이 가리었던 구름으로부터 벗어나 신성한 달빛으로 후학들의 서창(書窓)을 비추게 된 것이니, 모두가 해공의 성심(聖心)은 무한정 은장(隱藏)된 채 그대로 방치될 수 없으며, 이때쯤 다시 나타나 다시금 세상을 도우라는 하늘의 뜻이 아닌가 합니다.

이제 이 《일분몽구》의 발간에 즈음하여 '기념사업회'는 모든 것이 감사하고 모든 것이 기적 같이 느껴집니다. 이 책을 써서 후손에게 남겨 주신 해공 선생님과 책을 백 년 이상 보존해온 창현가에 하느님의 이름을 빌려 감사드립니다.

그리고 귀중한 책을 저희 '기념사업회'에 기증해 주신 신학영 선생님, 간행비를 쾌척해 주신 지춘호 회장님, 자신의 학문과 지식을 동원하여 역주본 원고와 해제를 작성해 주신 임동석 교수님께 말로써는 다 표현할 수 없는 감사의 마음을 전합니다. 또한 자상하신 후의(厚宜)와 성심성의로 책을 제작해 주신 일조각의 김시연(金時姸) 사장님께 진정한 감사의 말씀을 드립니다.

2022년 7월 17일

(사)해공신익희선생기념사업회

《일분몽구》 간행위원회 근지(謹識)

《일분몽구》 간행위원회

위원: 대표 현승일(玄勝一)

이윤수(李允洙)

신상식(申相式)

이강두(李康斗)

김충환(金忠環)

유일호(柳一鎬)

허찬희(許瓚熙)

이덕만(李德萬)

임홍재(任洪宰)

신동호(申東祜)

변희숙(卞姫淑)

간사 이창수(李昌洙)

옮긴이_임동석(林東錫) 茁浦, 負郭齋, 醉碧軒

경북 영주 출생. 충북 단양 덕상골에서 성장. 어릴 때 한문 공부로 10살에 초등학교 입학. 경동고, 서울 교대, 국제대 졸업, 건국대 대학원 석사. 雨田 辛鎬烈 선생에게 7년간 漢學 공부. 臺灣으로 가서 國立臺灣師範大學에서 國家 文學博士(1983)를 받음. 박사학위 논문《朝鮮譯學考》는 북경대학 대학원 교재로 채택됨.

건국대학교 중어중문학과 교수, 교무처장, 문과대학장 등을 역임. 한국중문학회, 한국중국언어학회, 중국어문학회, 한중언어문화연구회 등 관련 학회 회장을 역임.

현재 건국대 명예교수, HSK(한어수평고시) 실시위원장.

《조선역학고》,《중국학술개론》,《中韓對比語文論》외 다수의 저서와 논문 60여 편 저술. 사서삼경과 제자백가를 비롯하여 중국 문사철을 아우르는『임동석 교수의 중국 사상 백선』300여 권 출간. 그 외 올재 총서 출간 중.

〈부곽재 TV〉(동양학, 고전, 학문 등) 유튜브 채널 운영 중.

역주본

일분몽구

一分蒙求

저작권자 (사)해공신익희선생기념사업회
주　　소 서울 종로구 자하문로24길 49-7
전　　화 02-730-7558
팩　　스 02-736-0419
이 메 일 info@haegong.kr
홈페이지 www.haegong.kr

초　　판 1쇄 펴낸날 2022년 8월 15일
글 쓴 이 해공 신익희
옮 긴 이 임동석
펴 낸 이 김시연
펴 낸 곳 (주)일조각
등　　록 1953년 9월 3일 제300-1953-1호(구 : 제1-298호)
주　　소 03176 서울시 종로구 경희궁길 39
전　　화 02-734-3545 | 02-733-8811 (편집부)
02-733-5430 | 02-733-5431 (영업부)
팩　　스 02-735-9994(편집부) | 02-738-5857(영업부)
이 메 일 ilchokak@hanmail.net
홈페이지 www.ilchokak.co.kr
I S B N 978-89-337-0806-4 04190
I S B N 978-89-337-0804-0 04190 (세트)
값(세트) 25,000원